CHRISTIAN LAVENNE

ÉVELYNE BÉRARD

GILLES BRETON

YVES CANIER

CHRISTINE TAGLIANTE

C000186806

# studio *100*

## *cahier d'exercices*

### *niveau* ①

didier

# Sommaire

Couverture : Isabelle Aubourg
Conception maquette et mise en pages : Nelly Benoit
Dessins : Nelly Benoit : pp. 46, 47 ; Didier Crombez : pp. 34, 88, 103 ; Dom Jouenne : pp. 38, 61, 80, 83, 95
Photogravure : Argéplus

« Le photocopillage, c'est l'usage abusif et collectif de la photocopie sans autorisation des auteurs et des éditeurs.
L argement répandu dans les établissements d'enseignement, le photocopillage menace l'avenir du livre, car il met en danger son équilibre économique. Il prive les auteurs d'une juste rémunération.
En dehors de l'usage privé du copiste, toute reproduction totale ou partielle de cet ouvrage est interdite. »

« La loi du 11 mars 1957 n'autorisant, au terme des alinéas 2 et 3 de l'article 41, d'une part, que les copies ou reproductions strictement réservées à l'usage privé du copiste et non destinées à une utilisation collective » et, d'autre part, que les analyses et les courtes citations dans un but d'exemple et d'illustration, « toute représentation ou reproduction intégrale, ou partielle, faite sans le consentement de l'auteur ou de ses ayants droit ou ayants cause, est illicite. » (alinéa 1ᵉʳ de l'article 40) - « Cette représentation ou reproduction, par quelque procédé que ce soit, constituerait donc une contrefaçon sanctionnée par les articles 425 et suivants du Code pénal. »

© Les Éditions Didier, Paris 2001          ISBN : 978-2-278-04989-9          Imprimé en France
Achevé d'imprimer par l'imprimerie JOUVE en mai 2008 - Dépôt légal : 04989/09

# Guide des contenus

**Passage à l'euro :** *vous trouverez, dans cet ouvrage, des références au franc qui avait cours légal au moment de son élaboration.*
*Cependant, autant que possible, les francs ont été convertis en euros lors de la réimpression.*

# Parcours 1

## 1 Intonation

**Écoutez et dites si c'est une affirmation ou une question :**

|   | Affirmation | Question |
|---|---|---|
| 1 |  | ✓ |
| 2 | ✓ |  |
| 3 |  | ✓ |
| 4 |  | ✓ |
| 5 | ✓ |  |
| 6 |  | ✓ |
| 7 | ✓ |  |
| 8 | ✓ |  |

## 2 Intonation

**Écoutez et dites si c'est une affirmation ou une question :**

|   | Affirmation | Question |
|---|---|---|
| 1 | ✓ | ✓ |
| 2 | ✓ |  |
| 3 | ✓ |  |
| 4 |  | ✓ |
| 5 | ✓ |  |
| 6 |  | ✓ |
| 7 |  | ✓ |
| 8 | ✓ |  |
| 9 |  | ✓ |
| 10 | ✓ |  |

## 3 Phonétique : [y] / [u]

**Écoutez et dites si vous avez entendu [y], [u] ou les deux :**

'du'          `coo`

| | [y] "u" | [u] "ou" | Les deux |
|---|---|---|---|
| 1 | | X | |
| 2 | X | | |
| 3 | ~~X~~ | | X |
| 4 | X | | |
| 5 | | X | |
| 6 | X | | |
| 7 | X | X | X |
| 8 | | X | |
| 9 | | X | |
| 10 | X | ~~X~~ | |

## 4 Présentation

**Écrivez un petit texte de présentation en utilisant les informations suivantes :**

Martial Beauchamp
27, rue d'Espagne
25700 Valentigney

• garagiste
• né le 18.03.63
• marié
• deux enfants

Il s'appelle Martial Beauchamp. Il habite à 27, rue d'Espagne, 25700. Il est né le 18.03.63. Il est marié

## 5 Présentation

**Écrivez un petit texte de présentation en utilisant les informations suivantes :**

Anna Krakowska
65, avenue Frédéric-Chopin
Varsovie

• étudiante
• née le 12 octobre 1981
• célibataire

Elle s'appelle .......................................................................................................

## 6) Poser une question

**Trouvez les questions qui correspondent aux réponses :**

**1.** ..........................................................................................................

Lucia Greco.

**2.** ..........................................................................................................

Non, brésilienne.

**3.** ..........................................................................................................

34 ans.

**4.** ..........................................................................................................

Oui, je donne des cours dans un centre de langues. Je suis professeur.

**5.** ..........................................................................................................

À São Paulo.

## 7) Présentation

**Écoutez l'enregistrement et remplissez la fiche suivante :**

Nom : .....ZAROUALI...............................................................

Prénom : .....AHMED.................................................................

Nationalité : .....ALGERIEN.........................................................

Profession : .....LECTEUR / JOURNALISTE.............................

Situation familiale : .....MARIÉ....................................................

Adresse en France : .....64, rue de VIEUX-PORT MARSEILLE.....

## 8) Indicateurs de temps

**Écoutez et faites correspondre les phrases à un moment de la journée :**

|   | Le matin | L'après-midi | Le soir | La nuit |
|---|----------|--------------|---------|---------|
| 1 |          |              | X       |         |
| 2 |          | X            |         |         |
| 3 |          | X            |         | X       |
| 4 | X        |              |         |         |
| 5 | X        |              |         |         |
| 6 |          | X            |         |         |
| 7 | X        |              |         |         |
| 8 |          |              | X       |         |

## 9 Masculin / féminin

**Écoutez, lisez les phrases et dites si on parle d'un homme, d'une femme ou si on ne sait pas :**

| | Un homme | Une femme | On ne sait pas |
|---|---|---|---|
| 1. Dominique est boulangère. | | X | |
| 2. Son frère est architecte. | X | | |
| 3. Tu connais Andrée ? | | X | |
| 4. Appelle un médecin. | | | X |
| 5. Mon professeur est suisse. | | | X |
| 6. J'ai un ami italien. | X | | |
| 7. Ma sœur est institutrice. | | X | |
| 8. Frédéric est sympathique. | X | | |

## 10 Dire où

**Complétez les phrases en utilisant** *à / au / en* **:**

1. Maria habite ……….. Athènes.

2. Je pars ……….. Brésil demain.

3. Jacques va ……….. Iran tous les mois.

4. Mon père habite ……….. São Paulo.

5. Marie habite ……….. Japon.

6. Il y a beaucoup de touristes ……….. France.

7. Je vais en vacances ……….. Acapulco, ……….. Mexique.

8. Paul est parti ……….. Espagne.

9. Je vais ……….. Paris samedi.

10. Il est quelle heure ……….. Australie ?

## 11 Il est / elle est

**Complétez les phrases avec** *il est* **ou** *elle est* **:**

1. Mon amie s'appelle Bénédicte Brun. ……….…….. pharmacienne.

2. Salvador Ferreiro habite à Perpignan. ……….…….. espagnol.

3. Voici Cao Hoang : ……….…….. vietnamienne.

4. François ? ……….…….. journaliste à *L'Équipe*.

5. Martine Vincenot ? Aujourd'hui, ……….…….. à Lyon.

6. C'est Karen Tissot. ……….…….. secrétaire.

7. ……….…….. là , Leyla ?

8. Je te présente mon ami Christian Marin. ……….…….. médecin.

## 12) Orthographe : et / est

**Complétez les phrases avec *et* ou *est* :**

1. Martine ............ architecte.
2. Il travaille en France ............ en Suisse.
3. Mireille ? Elle ............ belle ............ sympathique.
4. C' ............ René : il ............ avocat.
5. – ............ vous, vous êtes français ?

    – Oui.
6. Gisèle ............ Léa sont étudiantes.
7. Je m'appelle Antonio ............ je suis italien.
8. Pénélope ............ grecque ............ elle travaille en France.

## 13) Orthographe : conjugaison

**Conjuguez (au présent) le verbe entre parenthèses :**

1. Nous (habiter) ............ à Lille.
2. Vous (manger) ............ avec nous ?
3. Ils (parler) ............ anglais et espagnol.
4. – Qu'est-ce que tu fais ? Tu (dormir) ............ ?

    – Non, je (lire) ............ .
5. Je (téléphoner) ............ en Italie.
6. Vous m'(écouter) ............, oui ou non ?
7. Elle (s'appeler) ............ Béatrice.

## 1) Questions / réponses

**Trouvez les réponses qui correspondent aux questions :**

1. Qu'est-ce que vous faites ?
2. Je vous dois combien ?
3. Vous habitez où ?
4. Vous habitez à Marseille ?
5. Vous avez des enfants ?
6. Mario, il est italien ?
7. Vous êtes espagnole ?
8. Qu'est-ce qu'elle fait Anne ?
9. Comment allez-vous ?
10. Allô, c'est Hélène ?

a. Non, je suis grecque.
b. J'habite à Marseille.
c. Très bien et vous ?
d. Non, c'est Marie.
e. Je suis professeur.
f. 2O euros.
g. Non, à Bordeaux.
h. Oui, il habite à Rome.
i. Oui, deux.
j. Anne ? la femme de Robert ? elle est architecte.

| 1 | 2 | 3 | 4 | 5 | 6 | 7 | 8 | 9 | 10 |
|---|---|---|---|---|---|---|---|---|----|
| e |   |   |   |   |   |   |   |   |    |

## 2) Présentation

**Rédigez une présentation des personnes à partir de l'exemple :**

EXEMPLE ● *Pierre François : acteur / français / 45 ans / marié.*
*Pierre François, c'est un acteur français, il a 45 ans, il est marié.*

1. Julie Laceur : chanteuse / québécoise / 24 ans / célibataire.

.......................................................................................................

2. Jack Creg : informaticien / américain / 32 ans / marié / deux enfants.

.......................................................................................................

3. Maria Luisa Laserra : professeur / espagnole / 30 ans / mariée.

.......................................................................................................

4. Yoko Tanaka : étudiante / japonaise / 20 ans / célibataire.

.......................................................................................................

5. Yorgos Vassilikos : architecte / grec / 59 ans / marié / trois enfants.

.......................................................................................................

## 3 Professions

**Écoutez et dites à quel enregistrement correspond chaque profession :**

| | | |
|---|---|---|
| Informaticien | → | Enr. n° ..... |
| Écrivain | → | Enr. n° ..... |
| Médecin | → | Enr. n° ..... |
| Boulanger | → | Enr. n° ..... |
| Professeur d'anglais | → | Enr. n° ..... |
| Serveur | → | Enr. n° ..... |
| Garagiste | → | Enr. n° ..... |
| Vendeuse | → | Enr. n° ..... |
| Journaliste | → | Enr. n° ..... |
| Acteur | → | Enr. n° ..... |

## 4 Chiffres et nombres

**Écoutez et notez les nombres que vous avez entendus :**

1. .........................................................
2. .........................................................
3. .........................................................
4. .........................................................
5. .........................................................

6. .........................................................
7. .........................................................
8. .........................................................
9. .........................................................
10. .......................................................

## 5 Masculin / féminin

**Écoutez, lisez et dites si les adjectifs sont identiques ou différents au masculin et au féminin, à l'oral et à l'écrit :**

1. Cali, c'est une ville colombienne.
2. Il parle espagnol.
3. Maria, c'est une amie espagnole.
4. Tsarouchis, c'est un peintre grec.
5. Je regarde un film américain.
6. J'aime bien la cuisine grecque.
7. La fille de Jean-Paul, elle travaille dans une entreprise suisse.
8. J'ai un ami togolais.
9. Alvaro, il est colombien, il est professeur.
10. Je lis le roman d'un écrivain belge, je ne sais plus son nom ...
11. J'ai acheté une vieille voiture américaine, géniale.
12. Sa femme, elle est togolaise.
13. Le gruyère, c'est un fromage suisse.
14. Tu connais une ville belge au bord de la mer ?

|  | Identiques au masculin et au féminin | | Différents au masculin et au féminin | |
|---|---|---|---|---|
|  | à l'oral | à l'écrit | à l'oral | à l'écrit |
| Belge |  |  |  |  |
| Américain |  |  |  |  |
| Espagnol |  |  |  |  |
| Suisse |  |  |  |  |
| Grec |  |  |  |  |
| Togolais |  |  |  |  |
| Colombien |  |  |  |  |

## 6 Intonation

**Écoutez et dites si c'est une demande d'information ou une affirmation :**

|  | Demande d'information | Affirmation |
|---|---|---|
| 1 |  |  |
| 2 |  |  |
| 3 |  |  |
| 4 |  |  |
| 5 |  |  |
| 6 |  |  |
| 7 |  |  |
| 8 |  |  |

## 7 C'est / c'est un / c'est une

**En vous aidant éventuellement des informations données dans la séquence 2 de votre manuel, répondez en utilisant *c'est / c'est un / c'est une* :**

**1.** Elle est peintre. Elle est mexicaine. Qui est-ce ?

....................................................................................................................................

**2.** La *retsina*, qu'est-ce que c'est ?

....................................................................................................................................

**3.** Et la *feijoada*, qu'est-ce que c'est ?

....................................................................................................................................

**4.** Vous connaissez Tolstoï ?

....................................................................................................................................

**5.** C'est quoi, le roquefort ?

..........................................................................................................

**6.** C'est qui, Frida Kahlo ?

..........................................................................................................

**7.** Et Bruegel ?

..........................................................................................................

**8.** C'est où, Berne ?

..........................................................................................................

**8** Phonétique : un / une

**Écoutez et dites si vous avez entendu *un* ou *une* :**

|   | Un | Une |
|---|----|-----|
| 1 |    |     |
| 2 |    |     |
| 3 |    |     |
| 4 |    |     |
| 5 |    |     |
| 6 |    |     |
| 7 |    |     |
| 8 |    |     |

**9** Masculin / féminin

**Écoutez et dites si on parle d'un homme, d'une femme ou si on ne sait pas :**

|   | Un homme | Une femme | On ne sait pas |
|---|----------|-----------|----------------|
| 1 |          |           |                |
| 2 |          |           |                |
| 3 |          |           |                |
| 4 |          |           |                |
| 5 |          |           |                |
| 6 |          |           |                |
| 7 |          |           |                |
| 8 |          |           |                |

## 10) Un / une
**Complétez les phrases avec *un* ou *une* :**

**1.** Olivier et Rachel ont deux enfants : ............ garçon et ............ fille.

**2.** Tu veux ............ bière ou ............ coca ?

**3.** Tu as ............ ticket de métro, s'il te plaît ?

**4.** Je voudrais ............ café et ............ croissant, s'il vous plaît.

**5.** Elle travaille dans ............ pizzéria.

**6.** J'ai ............ cours de français de 8 heures à 9 heures.

**7.** Ma montre, c'est ............ vraie Cartier.

**8.** Sophie est ............ professeur très dynamique.

## 11) Un / une / du / de la
**Écoutez les trois enregistrements et choisissez le repas qui correspond à chaque dialogue :**

**A**

Poulet
Salade
Eau gazeuse

**B**

Œuf mayonnaise
Entrecôte
Tarte
Bière

**C**

Salade
Poisson
Vin blanc

Menu A        →     Dial. n° .....

Menu B        →     Dial. n° .....

Menu C        →     Dial. n° .....

## 12) Du / de la / de l' / des
**Complétez les phrases avec *du / de la / de l' / des* :**

**1.** Vous voulez ............ viande ou ............ poisson ?

**2.** Comme dessert, il y a ............ tarte ou ............ fruits.

**3.** Je voudrais ............ gâteau au chocolat.

**4.** Monsieur, est-ce que vous voulez ............ vin, ............ bière ou ............ eau ?

**5.** Tu veux encore ............ café ?

**6.** Tu as encore faim ? tu veux ............ fromage ?

**7.** Je vais faire une salade : il y a ............ tomates dans le frigo.

**8.** Je voudrais ............ confiture avec mes croissants, s'il vous plaît.

## 13) Mon / ma / mes / ton / ta / tes / votre / vos

**Complétez les phrases en choisissant le mot qui convient :**

**1.** Renée est …..………..... amie. (mon / ma / mes)

**2.** Je te présente Émilie : c'est …..………..... secrétaire. (mon / ma / mes)

**3.** Où sont …..………..... lunettes ? (mon / ma / mes)

**4.** Henri et Chantal, ce sont …..………..... voisins ? (votre / vos)

**5.** Excusez-moi, je ne connais pas …..………..... adresse. (votre / vos)

**6.** Tu as …..………..... voiture ? (ton / ta / tes)

**7.** À quelle heure est …..………..... train ? (ton / ta / tes)

**8.** Je ne connais pas …..………..... amies : présente-moi ! (ton / ta / tes)

## 14) Nombres

**Écoutez et écrivez (en chiffres) les nombres que vous avez entendus :**

**1.** – Ton anniversaire, c'est le …..………..... octobre ?

– Non, le …..………..... octobre.

**2.** – Vous me donnez votre numéro de téléphone ?

– Oui, c'est le …..………..…..………..…..………..... .

**3.** – Vous êtes combien, dans ta classe ?

– Nous sommes …..………..... .

**4.** – Il est quelle heure, s'il te plaît ?

– …..………..... heures …..………..... .

**5.** – Qu'est-ce que c'est, l'indicatif téléphonique de la Grèce ?

– C'est le …..………..... .

**6.** – Tu habites loin ?

– À …..………..... kilomètres.

**7.** – Tu as une réservation ?

– Oui, c'est la place …..………..... dans la voiture …..………..... .

**8.** – Demain, je suis au bureau. Appelez-moi.

– Votre numéro, c'est bien le …..………..…..………..…..………..... ?

## 15) Singulier / pluriel

**Écoutez et dites si on parle d'une personne (singulier), de plusieurs personnes (pluriel) ou si on ne sait pas (?) :**

| | Singulier | Pluriel | ? |
|---|---|---|---|
| 1 | | | |
| 2 | | | |
| 3 | | | |
| 4 | | | |
| 5 | | | |
| 6 | | | |
| 7 | | | |
| 8 | | | |

## 16) Poser des questions

**Trouvez les questions qui correspondent aux réponses :**

**1.** ................................................................................................................
Non, j'habite au centre-ville.

**2.** ................................................................................................................
André, il est médecin.

**3.** ................................................................................................................
David ? Oui, il travaille : aujourd'hui, c'est lundi.

**4.** ................................................................................................................
Oui, je suis marié et j'ai trois enfants.

**5.** ................................................................................................................
Je voudrais bien un café.

**6.** ................................................................................................................
À midi ? Au restaurant Les Quatre Saisons.

**7.** ................................................................................................................
Non, Pablo est espagnol.

**8.** ................................................................................................................
Lundi ? Je vais en Suisse.

# 17) Orthographe : à / a

**Complétez en utilisant _à_ ou _a_ :**

1. Nous avons habité ……….. Genève.
2. Il est ……….. vous, ce livre ?
3. Florence ……….. vingt-deux ans.
4. Mireille ……….. acheté un téléphone portable.
5. Henriette est ……….. la poste.
6. Monsieur Lebœuf ……….. une boucherie dans la rue Pasteur.
7. Vous mangez au menu ou ……….. la carte ?
8. Mon bureau est ……….. côté de la chambre de Rémi.


# 18) Orthographe : et / est

**Complétez en utilisant _et_ ou _est_ :**

1. Jérémie ………… Pablo sont de vieux amis.
2. Où ………… mon stylo ?
3. ………… toi, tu prends du café ou du thé ?
4. Ma montre, c' ………… une vraie Cartier.
5. Je voudrais du poulet sauce provençale ………… une tarte maison.
6. À quelle heure ………… le vol Air France 247, s'il vous plaît ?
7. Ma belle-sœur ………… coiffeuse.
8. J'attends Paul ………… je pars tout de suite avec lui.


# 19) Orthographe : ai / ais / ait / aît / et

**Complétez avec _ai / ais / ait / aît / et_ :**

1. Un café, s'il vous pl……….. !
2. Tu as un tick……….. de métro ?
3. Il f……….. beau, ce matin.
4. Christiane ? Elle s……….. tout !
5. Un jus d'orange et un café, ça f……….. combien ?
6. Désolé, monsieur, c'est compl……….. .
7. Vous êtes angl……….. ?
8. Ce n'est pas vr……….. .

# Séquence 3
*Reprise, anticipation*

## 1) Intonation

**Écoutez et dites si c'est une demande d'information ou une affirmation :**

|        | Demande d'information | Affirmation |
|--------|------------------------|-------------|
| 1 a    |                        |             |
| b      |                        |             |
| 2 a    |                        |             |
| b      |                        |             |
| 3 a    |                        |             |
| b      |                        |             |
| 4 a    |                        |             |
| b      |                        |             |
| 5 a    |                        |             |
| b      |                        |             |
| 6 a    |                        |             |
| b      |                        |             |
| 7 a    |                        |             |
| b      |                        |             |

## 2) Présentation

**Écoutez les enregistrements et remplissez une fiche pour chaque personne :**

**1.**

Nom : ........................................................

Prénom : ...................................................

Âge : ........................................................

Domicile : .................................................

Profession : ..............................................

Situation de famille : ...............................

Tél : .........................................................

**2.**

Nom : ........................................................

Prénom : ...................................................

Âge : ........................................................

Domicile : .................................................

Profession : ..............................................

Situation de famille : ...............................

Tél : .........................................................

## 3 Questions / réponses

**Faites correspondre les questions et les réponses :**

1. La feta, qu'est-ce que c'est ?
2. La poste, c'est où ?
3. Elles coûtent combien, ces chaussures ?
4. Qu'est-ce que vous prenez ?
5. Vous habitez où ?
6. *El País*, c'est un journal italien ?
7. Il est quelle heure ?
8. Est-ce que vous parlez anglais et espagnol ?
9. Est-ce que Jacques a des enfants ?
10. C'est quand, ton anniversaire ?

**a.** 13, rue des Roses à Lyon.
**b.** Deux croissants et deux cafés.
**c.** C'est près d'ici, vous prenez la première rue à droite et c'est en face de vous.
**d.** Le 23 novembre.
**e.** 5 heures et demie.
**f.** C'est un fromage grec.
**g.** Oui, il en a trois.
**h.** Anglais, oui, mais espagnol un peu.
**i.** 60 euros.
**j.** Non, espagnol.

| 1 | 2 | 3 | 4 | 5 | 6 | 7 | 8 | 9 | 10 |
|---|---|---|---|---|---|---|---|---|----|
|   |   |   |   |   |   |   |   |   |    |

## 4 Pluriel

**Soulignez les marques du pluriel dans les phrases qui suivent :**

Jacques et Charlie sont français, ils sont acteurs, ils travaillent dans une petite compagnie de théâtre. Ils habitent tous les deux à Toulouse. Jacques a 25 ans et Charlie 32 ans, ils sont célibataires.

## 5 Ponctuation

**Rétablissez la ponctuation et les majuscules dans les textes suivants :**

1. chère sophie je passe d'excellentes vacances à cannes il fait très beau et je profite de la plage j'espère que tu vas bien je rentre samedi prochain bises amélie

2. chers amis nous sommes bien arrivés à rome nous visitons la ville et les musées l'italie et les italiens nous plaisent beaucoup nous espérons que vous avez passé de bonnes vacances à bientôt amitiés jules et françoise

## 6 Poser des questions

**Trouvez les questions qui correspondent aux réponses :**

1. ..................................................................................................................................

C'est l'auteur de *Cent ans de solitude*.

2. ..................................................................................................................................

Roland ? C'est le copain de Béatrice.

**3.** ...............................................................................................................

C'est demain, à 21 heures.

**4.** ...............................................................................................................

Il est exactement 4 heures et demie.

**5.** ...............................................................................................................

Le cinéma Vox ? C'est à 300 mètres d'ici.

**6.** ...............................................................................................................

Demain ? Je reste chez moi : je dors ...

**7.** ...............................................................................................................

Non, merci, je n'ai pas soif.

**8.** ...............................................................................................................

Non, ce n'est pas très cher, environ 5 euros.

## 7) Possessifs

**Complétez avec** *mon / ma / mes* :

**1.** ................ père est professeur de physique.

**2.** ................ voiture est chez le garagiste.

**3.** ................ voisins sont en vacances au Brésil.

**4.** ................ cousine est coiffeuse.

**5.** ................ frère Jacques habite à Marseille.

**6.** J'aime bien ................ oncle Marcel.

**7.** Fais ................ amitiés à ta cousine.

**8.** ................ amie Joëlle est pharmacienne.

## 8) Possessifs

**Complétez avec** *ton / ta / tes* :

**1.** Il pleut, prends ................ parapluie.

**2.** C'est quelle marque ................ voiture ?

**3.** Je ne connais pas ................ parents.

**4.** ................ oncle Henri, il est bien médecin ?

**5.** Comment elle s'appelle, ................ amie ?

**6.** ................ clés sont sur le bureau.

**7.** Tu peux éteindre ................ portable ?

**8.** Prends ................ billet de train au guichet.

## 9 Possessifs

**Complétez avec** *son / sa / ses* :

1. ……..……..... voiture est au parking.

2. ……..……..... copains sont très sympathiques.

3. ……..……..... père est architecte.

4. ……..……..... cravate est vraiment horrible.

5. ……..……..... deux frères habitent à Paris.

6. J'ai téléphoné à ……..……..... beaux-parents.

7. Il a oublié ……..……..... papiers.

8. C'est François, je reconnais ……..……..... voix.

## 10 Positif / négatif

**Écoutez et dites si l'appréciation est positive ou négative :**

|  | 1 | 2 | 3 | 4 | 5 | 6 | 7 | 8 |
|---|---|---|---|---|---|---|---|---|
| **Appréciation positive** | | | | | | | | |
| **Appréciation négative** | | | | | | | | |

## 11 De / du / de la / des

**Lisez le menu ci-dessous, écoutez le dialogue et complétez le tableau :**

> *Crudités ou*
> *Jambon de montagne ou*
> *Avocat aux crevettes*
> *∞*
> *Truite au vin jaune ou*
> *Poulet au curry ou*
> *Entrecôte au poivre*
> *∞*
> *Fromage ou*
> *Dessert*

| **Lise** | **Omar** | **Paul** |
|---|---|---|
| ……………………………… | ……………………………… | ……………………………… |
| ……………………………… | ……………………………… | ……………………………… |
| ……………………………… | ……………………………… | ……………………………… |

## 12) Quiz de civilisation

**Que connaissez-vous de la France ?**

**1.** La population de la France est d'environ :
- ❑ 50 millions d'habitants.
- ❑ 60 millions d'habitants.
- ❑ 80 millions d'habitants.

**2.** La devise de la France est :
- ❑ Liberté, Égalité, Fraternité.
- ❑ Unité, Prospérité, Solidarité.
- ❑ Union, Constitution, Révolution.

**3.** Un festival international de cinéma très connu a lieu en mai :
- ❑ à Cannes.
- ❑ à Vannes.
- ❑ à Nice.

**4.** Un euro vaut :
- ❑ 8,378 francs.
- ❑ 5,779 francs.
- ❑ 6,55 957 francs.

**5.** Un seul de ces titres est un quotidien : lequel ?
- ❑ *Le Nouvel Observateur.*
- ❑ *Télé 7 jours.*
- ❑ *Le Monde.*

**6.** Un seul de ces produits est un fromage : lequel ?
- ❑ la sardane.
- ❑ la cancoillotte.
- ❑ la bouillabaisse.

## 13) Orthographe : *ou* final suivi d'une consonne

**Dites si la consonne qui suit *ou* est prononcée ou pas :**

**1.** J'aime **beaucoup** Jean-François.
**2.** Je viens ici **tous** les mois.
**3.** Un étudiant me donne des **cours** particuliers.
**4.** Vous êtes **fous** !
**5.** D'accord, nous venons **tous**.
**6.** Ton sac est **sous** la table.
**7.** À quelle heure est-ce que tu pars **pour** Lille ?
**8.** Dominique adore les **bijoux**.

| | Est prononcée | N'est pas prononcée |
|---|---|---|
| 1 | | |
| 2 | | |
| 3 | | |
| 4 | | |
| 5 | | |
| 6 | | |
| 7 | | |
| 8 | | |

## 14) Orthographe : *ou* final suivi d'une consonne

**Complétez avec la lettre qui suit *ou* mais qui n'est pas prononcée :**

**1.** J'ai rendez-vou..... avec Antoine.

**2.** Je vous aime beaucou..... .

**3.** André ? C'est le garçon rou....., près du bar.

**4.** Mon fils jou..... dans la cour.

**5.** Attendez-nou..... !

**6.** Ces garçons sont fou..... !

**7.** Je suis en vacances au mois d'aoû..... .

**8.** Je te fais mille bisou..... .

## 15) Orthographe : ou / où

**Complétez en utilisant *ou* ou *où* :**

**1.** Il habite ....., Éric ?

**2.** Tu veux du poulet ..... du poisson ?

**3.** Tu viens, oui ..... non ?

**4.** La gare, c'est ..... ?

**5.** Demain, je vais à Paris, en train ..... en voiture, je ne sais pas.

**6.** Je pars pour un ..... deux jours.

**7.** Allô Gérard ? Tu es ..... ?

**8.** Tu pars ..... tu restes ?

# Séquence 4

*Ici et là*

## 1) Localiser

**Complétez en choisissant le lieu qui convient :**

**1.** Bogota, c'est au Brésil ? Non, en …....….........…..…. . (Équateur / Colombie / Pérou)

**2.** J'habite à Tokyo, au …....…........…..…. . (Sri Lanka / Corée / Japon)

**3.** Vienne, c'est en …....…........…..…. . (Autriche / Allemagne / Italie)

**4.** Il habite à …....…........…..…. . (Lima / France / Espagne)

**5.** Pendant les vacances, je suis allé à Cordoue, en …....…........…..…. . (Italie / Espagne / France)

**6.** Au …....…........…..…., on parle portugais. (Venezuela / Brésil / Pérou)

**7.** Je vais à Venise, en …....…........…..…. . (Espagne / Italie / Grèce)

**8.** Elle travaille à Bruxelles, en …....…........…..…. . (Suède / Belgique / Finlande)

## 2) Exprimer une demande

**a) Écoutez et, pour chaque dialogue, essayez de fournir les informations suivantes :**

| | Dial. 1 | Dial. 2 | Dial. 3 | Dial. 4 | Dial. 5 | Dial. 6 |
|---|---|---|---|---|---|---|
| **Où ça se passe ?** | | | | | | |
| Au cinéma | | | | | | |
| Dans la rue | | | | | | |
| Au restaurant | | | | | | |
| À la montagne | | | | | | |
| À la maison | | | | | | |
| **Ce qui est demandé** | | | | | | |
| Une table pour deux personnes | | | | | | |
| Une adresse | | | | | | |
| Un pull-over | | | | | | |
| Des places de cinéma | | | | | | |
| Un sac à main | | | | | | |
| De la moutarde | | | | | | |

**b) Dites si la demande est satisfaite ou non :**

|  | Oui | Non |
|---|---|---|
| 1 | | |
| 2 | | |
| 3 | | |
| 4 | | |
| 5 | | |
| 6 | | |

**c) Réécoutez les dialogues et identifiez les formules entendues :**

|  | Dial. 1 | Dial. 2 | Dial. 3 | Dial. 4 | Dial. 5 | Dial. 6 |
|---|---|---|---|---|---|---|
| **Pour demander** | | | | | | |
| S'il vous plaît | | | | | | |
| Pardon | | | | | | |
| S'il te plaît | | | | | | |
| **Pour répondre** | | | | | | |
| Excusez-moi | | | | | | |
| Tout de suite | | | | | | |
| Bien sûr | | | | | | |
| Je suis désolé | | | | | | |
| **Pour terminer** | | | | | | |
| Merci | | | | | | |
| Je vous remercie | | | | | | |
| Au revoir | | | | | | |

## 3) Caractériser un lieu

**À partir des cinq fiches, écrivez quelques phrases pour présenter les villes citées. Aidez-vous de la carte au début de votre manuel et de la page 36 :**

● FICHE 1

– Nom : Clermont-Ferrand    ..............................................................

– Nombre d'habitants : 352 000    ..............................................................

– Situation géographique : centre    ..............................................................

– Trait particulier : usine de pneus Michelin    ..............................................................

● FICHE 2

– Nom : Strasbourg

– Nombre d'habitants : 557 000

....................................................

– Situation géographique : nord-est ;
  proche de l'Allemagne

....................................................

– Trait particulier : capitale européenne

....................................................

● FICHE 3

– Nom : Le Havre

– Nombre d'habitants : 300 000

....................................................

– Situation géographique : nord-ouest

....................................................

– Trait particulier : grand port pétrolier

....................................................

● FICHE 4

– Nom : Nantes

– Nombre d'habitants : 674 000

....................................................

– Situation géographique : ouest

....................................................

– Trait particulier : ville natale de Jules Verne

....................................................

● FICHE 5

– Nom : Poitiers

– Nombre d'habitants : 188 000

....................................................

– Situation géographique : ouest

....................................................

– Trait particulier : ville touristique :
  le Futuroscope

....................................................

## 4) Identifier / caractériser un lieu

**Lisez les cinq textes de présentation et identifiez chaque ville en vous aidant de la carte au début de votre manuel :**

**1.** C'est une ville de 272 000 habitants. Elle est située dans le nord de la France. C'est la capitale du vin de champagne.

....................................................

**2.** Cette ville est située près de Paris, elle est en Île-de-France. Il y a le parc Disneyland Paris.

....................................................

**3.** C'est une ville très touristique. Elle est située à l'est de la France, près de la Suisse. Elle est dans les Alpes et c'est la capitale du ski et de l'alpinisme.

....................................................

**4.** Cette ville est très à l'ouest de la France. C'est un port de l'Atlantique. 274 000 habitants habitent cette ville. Elle est connue à cause du poème de Jacques Prévert, *Barbara*.

....................................................

5. C'est un site touristique : il y a un très beau château. C'est un petit village de 250 habitants. Il est situé dans le centre de la France, près d'Orléans et de Tours.

......................................................................................................................................

6. Cette ville est dans le sud de la France, près de la mer Méditerranée. Il y a un très grand festival de cinéma.

......................................................................................................................................

## 5) Le / la / l' / les ; un / une / des

**Complétez en choisissant** *le / la / l' / les ; un / une / des* :

1. Je vais à …................ hôtel de la Paix.

2. Jeudi soir, je vais au restaurant avec …................ amis.

3. …................ Brésil est un pays très attachant.

4. Besançon, c'est …................ ville natale des frères Lumière.

5. Orléans est …................ ville située au sud de Paris.

6. François, Antoine et Olivier sont …................ amis d'enfance.

7. Metz est …................ ville de l'est de la France.

8. Athènes, c'est …................ capitale de la Grèce.

9. Thessalonique est …................ grande ville ; c'est …................ deuxième ville de Grèce par la population.

10. Mexico est …................ très grande ville.

11. Henri est …................ garçon très sympathique.

12. Cet été, Pascale visite …................ États-Unis.

## 6) Le/ la / l' / les ; un / une / des

**Complétez en choisissant** *le / la / l' / les ; un / une / des* :

1. Allô ? c'est …................ cabinet du docteur Genet ? Je voudrais …................ rendez-vous.

2. En France, …................ magasins sont fermés …................ dimanche.

3. Je voudrais …................ thé avec …................ croissants.

4. …................ cravate jaune d'Hamid est vraiment une horreur !

5. Je connais bien …................ amie de Bertrand : elle est institutrice.

6. …................ fête de la Musique, c'est …................ 21 juin.

7. Stéphane travaille dans …................ informatique.

8. Je voudrais bien acheter …................ voiture.

9. Samedi soir, je peux venir avec …................ amie ?

10. J'ai envie de fruits : tu peux acheter …................ cerises, …................ pêches et …................ abricots ?

## 7) À / en / au

**Complétez les phrases en choisissant l'expression qui convient :**

**1.** Ahmed est expert financier. Il travaille au Liban, ................................................. .
(à Damas / à Beyrouth / à Amman)

**2.** Serge est nommé, au mois de septembre, en Amérique du Sud, ........................... .
(à São Paulo / en République centrafricaine / au Portugal)

**3.** Charles est britannique : il est né ......................................................., je crois.
(au Libéria / à Singapour / en Écosse)

**4.** Si tu vas à Paris en partant de Dijon, tu arrives ........................................... .
(en gare de Lyon / à Lyon / au zoo de Vincennes)

**5.** Paolo est italien. Il habite ........................................................................... .
(en banlieue / dans la banlieue de Turin / à la campagne)

**6.** Mohamed vit en France : il habite ................................................................. .
(à Barcelone / en Franche-Comté / à Casablanca)

**7.** Je travaille en région parisienne, ................................................................. .
(à La Défense / à l'aéroport de La Guardia / à La Rochelle)

**8.** J'habite aussi à Paris, ................................................................................... .
(à Orléans / à la porte d'Orléans / à la montagne)

## 8) Phrase négative

**Mettez les phrases à la forme négative :**

**1.** Je mange des fruits.

....................................................................................................................

**2.** Roseline a faim.

....................................................................................................................

**3.** Vous avez des spaghettis à la carbonara ?

....................................................................................................................

**4.** Je veux prendre une douche.

....................................................................................................................

**5.** Vous avez le numéro de téléphone de Stéphanie ?

....................................................................................................................

**6.** Je connais la date de naissance de mon frère.

....................................................................................................................

**7.** Je prends du pain, aujourd'hui.

....................................................................................................................

**8.** Pierre aime beaucoup le poisson.

....................................................................................................................

## 9 ) Phrase négative

**Complétez en utilisant** *pas de* **ou** *pas le / pas la / pas l' / pas les* :

1. Désolé, je n'ai ...................... heure parce que je n'ai ...................... montre !

2. Je ne prends ...................... lait dans mon thé.

3. Je ne connais ...................... cousins de Geneviève.

4. Je n'ai ...................... télévision.

5. Je ne regarde ...................... match de ce soir parce que je n'ai ...................... téléviseur : j'écoute le reportage à la radio.

6. Je n'aime ...................... escargots !

7. Élisabeth parle l'anglais mais elle ne connaît ...................... allemand.

8. Pourquoi est-ce que tu ne prends ...................... avion ? C'est rapide !

## 10 ) Caractériser

**Écoutez les enregistrements et identifiez l'activité choisie en faisant correspondre le dialogue et l'extrait du programme :**

**Ⓐ** **Vendredi 20 juillet**

Soirée dansante avec D. J. Athanasius
Grand Kursaal à partir de 21 heures

**Ⓑ** **Lundi 23 juillet**

Chansons françaises : *Les Diablotines*
Un piano, deux voix qui vous emmènent parcourir le temps
d'une soirée le paysage de la chanson française.
Petit Théâtre de La Bouloie à 20 h 30

**Ⓒ** **Mardi 24 juillet**

Cinéma : *Merci pour le chocolat*
Film de Claude Chabrol (99 min)
avec Isabelle Huppert, Jacques Dutronc
Un excellent film, une fête de l'ambiguïté et
de la manipulation, un pur plaisir de jeu.

**Ⓓ** **Jeudi 26 juillet**

*Ma parole elle danse*
de et avec Régine Llorca
Sketches dansés : la langue française mise en mouvement
dans d'étonnantes histoires cousues d'humour.

| A | B | C | D |
|---|---|---|---|
|   |   |   |   |

## 11) Phonétique : [s] / [z]

Écoutez et dites si vous avez entendu [s], [z] ou les deux :

| | [s] | [z] | Les deux |
|---|---|---|---|
| 1. Suzette et Suzon, c'est dans une chanson. | | | |
| 2. *Zazie dans le métro*, voilà un livre amusant ! | | | |
| 3. *Sous le ciel de Paris*, c'est une vieille chanson. | | | |
| 4. Arsène Lupin, c'est un personnage de roman. | | | |
| 5. Tu connais Zinedine Zidane ? | | | |
| 6. MC Solaar, c'est un chanteur de rap. | | | |
| 7. Le Clézio est un bon écrivain. | | | |
| 8. Cosette, c'est un personnage des *Misérables*. | | | |
| 9. *C'est si bon*, je connais cette chanson. | | | |
| 10. Zorro est arrivé. | | | |

## 12) Phonie / graphie : [s] / [z]

Dites si le *s* en caractères gras se prononce [s] ou [z] :

| | [s] | [z] |
|---|---|---|
| 1. Tu connais ma cou**s**ine Ginette, bien sûr. | | |
| 2. Jane est irlandai**s**e. | | |
| 3. On fait une pau**s**e-café ? | | |
| 4. Denis travaille à Campina**s**, au Brésil. | | |
| 5. Je te pré**s**ente mon ami Athana**s**e. | | |
| 6. Tu peux po**s**ter cette lettre, s'il te plaît ? | | |
| 7. J'aime beaucoup *Robin**s**on Crusoë*. | | |
| 8. C'est un garçon in**s**upportable ! | | |

## 13) Orthographe : un *s* ou deux *s* ?

a) Complétez les mots avec *s* ou avec *ss* :

1. Qu'est-ce que vous prenez comme boi.....on ?

2. Comment s'appelle notre corre.....pondant à Londres ?

3. Bien sûr, vous connai.....ez Françoise.

4. Ma chambre est minu.....cule mais confortable.

5. Claudine est profe.....eur d'allemand.

6. Je ne prends pas de de.....ert : je suis au régime.

7. J'ai réservé une chambre pour deux per.....onnes.

8. Chantal habite à Mar.....eille mais elle est née à Carca.....onne.

b) Pouvez-vous énoncer une règle ?

.........................................................................................................................

## 14) Orthographe : un s ou deux s ?

**Complétez les mots avec s ou avec ss :**

1. C'est quand, ton anniver.....aire ?

2. J'aime beaucoup le poi.....on.

3. Mes chau.....ures, je ne les ai pas payées cher, seulement 30 euros.

4. Tu veux sortir en di.....cothèque ?

5. Anne-Lise est secrétaire à l'amba.....ade de Sui.....e.

6. Je suis pre.....ée : j'ai un train dans dix minutes !

7. Vincent a une maison de vacances en Cor.....e.

8. Natacha est ru.....e. Elle parle le français et au.....i l'e.....pagnol.

## 15) Liaisons

**Écoutez l'enregistrement et dites si la liaison [z] entre le s ou le x final et la voyelle qui suit a été prononcée ou pas :**

1. Je veu**x u**ne tarte aux pommes.
2. Ils **ai**ment beaucoup le cinéma.
3. Me**s a**mis arrivent demain.
4. Attendez ! Je fai**s u**ne photo.
5. Pierre est en vacances au**x î**les Galapagos.
6. Je reviens dan**s u**ne heure.
7. Vous ave**z un** euro, s'il vous plaît ? C'est pour le parcmètre.
8. Tu habite**s où** ?
9. Il y a de**s y**aourts dans le frigo.

|   | A été prononcée | N'a pas été prononcée |
|---|---|---|
| 1 | | |
| 2 | | |
| 3 | | |
| 4 | | |
| 5 | | |
| 6 | | |
| 7 | | |
| 8 | | |
| 9 | | |

## 16) Liaisons

**Écoutez l'enregistrement et dites si la liaison [n] entre le n final et la voyelle qui suit a été prononcée ou pas :**

1. Nous vivons **en I**talie.
2. J'ai **un a**mi espagnol qui habite à Séville.

**3.** Tu veux du v**in ou** du jus de fruits ?
**4.** Il s'appelle Lé**on Au**bert.
**5.** Je n'ai ri**en en**tendu !
**6.** Nous habitons dans **un imm**euble de la place Marulaz.
**7.** Je voudrais du p**ain a**vec du fromage.
**8.** C'est quand, **son a**nniversaire ?

|   | A été prononcée | N'a pas été prononcée |
|---|---|---|
| 1 | | |
| 2 | | |
| 3 | | |
| 4 | | |
| 5 | | |
| 6 | | |
| 7 | | |
| 8 | | |

## 17) Liaisons

**Écoutez l'enregistrement et dites si la liaison [t] entre le *t* final et la voyelle qui suit a été prononcée ou pas :**

**1.** Elles son**t a**llemandes.
**2.** Où est-ce qu'il es**t, A**lain ?
**3.** Ils viven**t en** Provence.
**4.** J'ai acheté un pantalon e**t u**ne chemise.
**5.** Peter es**t au**stralien.
**6.** C'es**t un** garçon sympathique.
**7.** Il fai**t un** doctorat en médecine.
**8.** Ils habiten**t en** France depuis deux ans.

|   | A été prononcée | N'a pas été prononcée |
|---|---|---|
| 1 | | |
| 2 | | |
| 3 | | |
| 4 | | |
| 5 | | |
| 6 | | |
| 7 | | |
| 8 | | |

## 18) Orthographe : les graphies du son [s]

**Complétez le texte suivant en utilisant les lettres s / ss / c / c' / ç / sc / t :**

.....e n'est pas fa.....ile d'écrire le fran.....ais !

.....est même un peu diffi.....ile.

Tenez : le.....on [s], par exemple.

Vous pouvez l'écrire de plusieurs fa.....ons.

.....ela dépend de la profe.....ion : méde.....in, profe.....eur, ma.....on, in.....tituteur (ou in.....titutri.....e !), musi.....ien, con.....ierge, pati.....ier ou denti.....te, pharma.....ien ou .....énariste.

Et puis, une petite lettre peut faire une grande différen.....e : il faut faire très atten.....ion !

Par exemple, il ne faut pas confondre un poi.....on et un poi.....on ! On peut en mourir !

De même, parcourir la carte des de.....erts dans un restaurant, c'est plus agréable que parcourir un dé.....ert !

Enfin, il vaut mieux vous a.....eoir sur votre cou.....in que sur votre cou.....in !

Mais avec un peu de pa.....ien.....e, un peu de chan.....e et beaucoup de lettres (s / ss / c / c' / ç / sc / t), vous pouvez écrire de belles phrases comme celle-ci : « Ces six soucis sont sous six saucissons secs. »

# Parcours 2

# Séquence 5 — Qualités

## 1) Caractériser un objet

**Écoutez l'enregistrement et dites dans quel dialogue l'objet est caractérisé comme :**

| | Dial. 1 | Dial. 2 | Dial. 3 | Dial. 4 | Dial. 5 | Dial. 6 | Dial. 7 | Dial. 8 |
|---|---|---|---|---|---|---|---|---|
| Un roman passionnant | | | | | | | | |
| Un grand roman | | | | | | | | |
| Un roman policier | | | | | | | | |
| Le roman de l'été | | | | | | | | |
| Un roman de Thierry Jonquet | | | | | | | | |
| Son dernier roman | | | | | | | | |
| Un roman pour l'été | | | | | | | | |
| Un roman à suspense | | | | | | | | |

## 2) Démonstratifs

**Complétez en choisissant le mot qui convient :**

**1.** Je voudrais ces …........…...…........…......…... . (stylo / chaussures / robe)

**2.** J'aime bien cette …........…......…........…......…... . (fille / ami / homme)

**3.** Georges habite dans cet …........…......…........…......…... . (arrondissement / ville / région)

**4.** J'ai visité le Louvre. J'adore ce …........…......…........…......…... . (monument / musée / cinéma)

**5.** – Tu connais Max ?

– Oui, ce …........…......…........…......…... est charmant. (garçon / homme / enfant)

**6.** Je rentre de Rio. Cette …........…......…........…......…... est magnifique. (île / région / ville)

**7.** Je veux acheter ces …........…......…........…......…... . (voiture / lunettes / livre)

**8.** Je n'aime pas ce …........…......…........…......…... . (plat / sauce / boissons)

## 3) Démonstratifs

**Complétez avec** *ce / cet / cette / ces* **:**

**1.** On se voit …....…......…..... semaine ?

**2.** Je suis fatigué …....…......…..... derniers temps.

**3.** Je suis en vacances à la fin de …....…......…..... mois.

**4.** ..................... été, je vais aux États-Unis.

**5.** Nous allons faire des courses ..................... après-midi.

**6.** Il a beaucoup plu ..................... derniers jours.

**7.** ..................... année, il fait très froid.

**8.** ..................... soir, je t'invite au restaurant.

## 4) Articles

**Complétez avec** *le / la / les / un / une / des / de la* **:**

**1.** C'est ..................... roman passionnant.

**2.** Tu le connais, l'homme à ..................... chemise blanche ?

**3.** J'aime bien ..................... spaghettis.

**4.** Je voudrais ..................... tomates.

**5.** Prends ..................... file de droite.

**6.** J'ai ..................... amis américains.

**7.** Je ne connais pas bien ..................... amis de Claire.

**8.** Éteins ..................... téléviseur !

**9.** Donnez-moi ..................... boîte de sardines, s'il vous plaît.

**10.** Je vais reprendre ..................... sauce tomate.

## 5) Caractériser une personne

**a) Écoutez les enregistrements et identifiez le portrait qui correspond à la fiche signalétique :**

FICHE SIGNALÉTIQUE

| Taille | : 1,70 m | Vêtements | : |
|---|---|---|---|
| Âge | : 26 ans | | – pull-over bleu |
| Yeux | : verts | | – pantalon gris |
| Cheveux | : blonds | | – sandales bleues en cuir |
| | | | – sac à main bleu en cuir |

➤ *Portrait n° ..........*

**b) Complétez avec les verbes** *avoir, être, porter, mesurer* **:**

**1.** Alain, c'est le garçon qui ..................... les cheveux bruns et les yeux bleus. Il ..................... une veste noire en cuir. Il ..................... âgé de 30 ans. Il ..................... 1,80 m.

**2.** Jean-Pierre, c'est le garçon qui ..................... les cheveux longs. Il ..................... un costume gris. Il ..................... 1,75 m et il .....................25 ans.

**c) Complétez avec** *la, les, une, des* **:**

Jeanne, c'est ..................... fille qui est à côté de Marie. Elle porte ..................... robe rouge, elle a ..................... cheveux blonds. Mais si, regarde, c'est ..................... fille qui a ..................... yeux verts.

## 6 Professions

Écoutez et dites à quel enregistrement correspond chaque profession :

| | | | | | |
|---|---|---|---|---|---|
| Le musicien | → | Enr. n° .......... | L'infirmière | → | Enr. n° .......... |
| L'architecte | → | Enr. n° .......... | Le journaliste | → | Enr. n° .......... |
| Le guide | → | Enr. n° .......... | Le boucher | → | Enr. n° .......... |
| Le facteur | → | Enr. n° .......... | L'électricien | → | Enr. n° .......... |
| Le dentiste | → | Enr. n° .......... | Le mécanicien | → | Enr. n° .......... |
| L'institutrice | → | Enr. n° .......... | L'actrice | → | Enr. n° .......... |

## 7 Caractériser un lieu

Faites correspondre le nom de la ville avec la description donnée dans l'enregistrement en vous aidant, en particulier, des informations des pages 36 et 37 de votre manuel :

| | | | | | |
|---|---|---|---|---|---|
| Besançon | → | Enr. n° .......... | Paris | → | Enr. n° .......... |
| Lille | → | Enr. n° .......... | Marseille | → | Enr. n° .......... |
| Sète | → | Enr. n° .......... | Madrid | → | Enr. n° .......... |
| Montauban | → | Enr. n° .......... | Porto Vecchio | → | Enr. n° .......... |

## 8 Caractériser une personne

Écoutez l'enregistrement et identifiez la fonction de chaque personnage en remplissant la grille ci-dessous :

| Personnage | 1 | 2 | 3 | 4 | 5 |
|---|---|---|---|---|---|
| Fonction | | | | | |

## 9) C'est celui qui / c'est celle qui

**Reconstituez les phrases :**

1. Ma boulangerie préférée,
2. Le copain de Christine,
3. Ma voiture,
4. Ma tante,
5. Le théâtre de l'Avenir,
6. Mon professeur de français,
7. Le gagnant,
8. Mon stylo,

a. c'est celui qui a des moustaches.
b. c'est celui qui est à côté de la mairie.
c. c'est celui qui a le numéro 19.
d. c'est celui qui a une plume en or.
e. c'est celle qui est en face de la poste.
f. c'est celle qui a une robe verte à rayures.
g. c'est celui qui a un chapeau et un cartable noir.
h. c'est celle qui est garée près de la fontaine.

| 1 | 2 | 3 | 4 | 5 | 6 | 7 | 8 |
|---|---|---|---|---|---|---|---|
|   |   |   |   |   |   |   |   |

## 10) Celui qui / celle qui

**Complétez avec *celui qui* ou *celle qui* :**

1. Donne-moi ma valise : c'est ........................ a des roulettes et qui est à côté du gros sac noir.

2. Passe-moi le dictionnaire de français, ........................ est sur le bureau.

3. J'aime bien le film de Wenders, ........................ se passe en Australie.

4. Je voudrais cette robe, ........................ a un col en V.

5. Le restaurant des Chasseurs, c'est ........................ est à la sortie de la ville.

6. Elle est bien, cette télévision, ........................ a un écran plat.

7. Tu connais ce garçon, ........................ parle avec Claudine ?

8. Le café des Sports, c'est ........................ est au bout de la rue.

## 11) Le ... du / le ... de la / le ... de l' / le ... des / la ... de, etc.

**Complétez en choisissant le mot qui convient :**

1. Gérard habite au bout de la ........................ . (rue / avenue / boulevard)

2. Je cherche le programme de la ........................ . (cinéma / télé / festival)

3. Je voudrais le plat du ........................ . (semaine / jour / soir)

4. Olivier revient à la fin des ........................ . (vacances / année / semaines)

5. C'est quand, le début de l' ........................ ? (année scolaire / printemps / cours)

6. C'est le chien des ........................ . (amis / copain / voisins)

7. Je t'attends au café des ........................ . (Mairie / Sports / Commerce)

8. Washington, c'est la capitale des ........................ . (États-Unis / Portugal / Philippines)

**12** Phonétique : [p] / [b]

**Écoutez et dites si vous avez entendu [p], [b] ou les deux :**

| | [p] | [b] | Les deux |
|---|---|---|---|
| 1 | | | |
| 2 | | | |
| 3 | | | |
| 4 | | | |
| 5 | | | |
| 6 | | | |
| 7 | | | |
| 8 | | | |
| 9 | | | |
| 10 | | | |

**13** Orthographe : ses / ces

**a) Complétez les phrases avec *ses* ou *ces* :**

**1.** Jeanne cherche …..........….. lunettes.

**2.** …..........….. livres sont à moi et non à toi.

**3.** Patricia Kaas est une chanteuse française. …..........….. chansons sont connues à l'étranger.

**4.** John passe toutes …..........….. vacances à la montagne.

**5.** Peux-tu poster …..........….. deux lettres, s'il te plaît ?

**6.** Mireille invite tous …..........….. amis à son anniversaire.

**7.** Donnez-moi deux kilos de …..........….. pommes-là, les rouges.

**8.** Nathalie et …..........….. parents arrivent demain.

**b) Pouvez-vous énoncer une règle ?**

..............................................................................................................................................

**14** Orthographe : c'est / cet

**a) Complétez les phrases avec *c'est* ou *cet* :**

**1.** …..........….. été, Judith et Ursula viennent en France.

**2.** …..........….. qui, Robert ?

**3.** …..........….. toi qui m'a appelé vers midi ?

**4.** …..........….. ensemble te va très bien.

**5.** …..........….. à toi de faire la vaisselle !

**6.** Je ne travaille pas …...…........ après-midi.

**7.** …...…........ hôtel est vraiment agréable.

**8.** Les enfants ! …...…........ l'heure de partir à l'école !

**b) Pouvez-vous énoncer une règle ?**

..............................................................................................................................................

**15** Orthographe : ce / c′ / se / s′

**a) Complétez les phrases avec** *ce / c′ / se / s′* **:**

**1.** Où …......... trouve la rue de l'Avenir, s'il vous plaît ?

**2.** Pierre Leroy ? Tu le connais ? …......... est un ami.

**3.** Qu'est-…......... que tu fais, …......... soir ?

**4.** Il est à toi, …......... blouson ?

**5.** Ils …......... appellent Arthur et René et …......... connaissent depuis longtemps.

**6.** Je ne connais pas …......... fromage. Je peux en prendre ?

**7.** Je voudrais …......... livre, le noir, sur l'étagère du haut.

**8.** Qu'est-…......... qui …......... passe ici ?

**b) Pouvez-vous énoncer une règle ?**

..............................................................................................................................................

# Séquence 6

## 1 Positif / négatif

**Lisez les phrases suivantes et dites si elles donnent une opinion positive ou négative :**

| | Opinion positive | Opinion négative |
|---|---|---|
| 1. J'adore le cinéma. | | |
| 2. Je n'aime pas beaucoup Marc. | | |
| 3. Je déteste l'avion, j'ai peur. | | |
| 4. J'aime bien faire du vélo. | | |
| 5. J'ai horreur de la pluie. | | |
| 6. J'aime beaucoup le ski. | | |
| 7. Je n'aime pas ce film. | | |
| 8. Je n'aime pas du tout cette voiture. | | |
| 9. J'aime vraiment beaucoup cette ville. | | |
| 10. Cette fille ne me plaît pas du tout. | | |

## 2 Oui / non / si

**Complétez en utilisant** *oui / non / si* **:**

1. – Tu aimes voyager ?
   – …........, pas du tout.

2. – Il parle espagnol ?
   – …........, parfaitement.

3. – Vous êtes anglais ?
   – …........, je viens de Manchester.

4. – Vous n'aimez pas le cinéma ?
   – …........, beaucoup.

5. – Vous aimez le sport ?
   – …........, le basket et le football surtout.

6. – Vous n'avez pas d'enfant ?
   – …........, deux filles et un garçon.

7. – Vous ne connaissez pas Jeanne ?
   – …........, je ne crois pas.

8. – Vous allez à Londres ?
   – …........, la semaine prochaine.

9. – Vous ne parlez pas allemand ?
   – …........, ma mère est allemande.

10. – Vous aimez nager ?
    – …........, je déteste l'eau.

## 3 Opinion positive

**Complétez avec l'expression la plus positive :**

1. Alain est ….......…….......…….......…. (sympa / passionnant)

2. Cette fille est ….......…….......…….... . (superbe / jolie)

3. Ce poisson est ….......…….......…….... . (très bon / délicieux)

4. Ce film est ….......…….......……..... . (amusant / très drôle)

5. C'est une ….......…….......…….... idée. (bonne / excellente)

6. La vue est ….......…….......……..... . (belle / splendide)

7. Votre travail est ….......…….......……..... . (très bon / acceptable)

8. Cet hôtel est ….......…….......……..... . (correct / très agréable)


## 4 Opinion positive ou négative

**Classez à chaque fois les quatre phrases du plus positif au plus négatif :**

**a) 1.** Ce couscous est délicieux.
   **2.** Ce couscous n'est pas très bon.
   **3.** Ce couscous est vraiment bon.
   **4.** Ce couscous est plutôt bon.

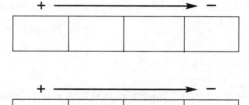

**b) 1.** Cette ville est moche.
   **2.** Cette ville est magnifique.
   **3.** Cette ville est jolie.
   **4.** Cette ville est assez jolie.

**c) 1.** Jacques est vraiment triste.
   **2.** Jacques est assez drôle.
   **3.** Jacques est très drôle.
   **4.** Jacques est un peu ennuyeux.

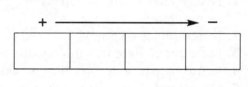

**d) 1.** Ce livre est très moyen.
   **2.** Ce livre est nul.
   **3.** Ce livre est passionnant.
   **4.** Ce livre n'est pas mal du tout.

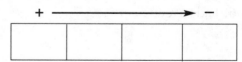


## 5 Moi aussi / moi non / moi si / moi non plus

**Complétez les dialogues en choisissant** *moi aussi / moi non / moi si / moi non plus* **:**

1. – J'adore la montagne pour les vacances.

   – ….......…….......…, je préfère la mer.

2. – J'aime bien faire la cuisine.

   – ….......…….......…, quand j'ai du temps.

**3.** – Je ne bois jamais de café, je préfère le thé.

– …………………, et plusieurs tasses par jour.

**4.** – J'aime beaucoup les voyages.

– …………………, on est tellement bien à la maison.

**5.** – Je vais chez Charles ce soir, et toi ?

– …………………, on peut partir ensemble.

**6.** – Je ne mange jamais de viande.

– …………………, je préfère les légumes.

**7.** – Je ne pars pas en vacances cette année, et toi ?

– …………………, j'ai encore cinq semaines de congés.

**8.** – Je ne connais pas le nouveau copain de Julie.

– …………………, mais je les rencontre ce soir.

**9.** – J'ai envie de voir le dernier film de Kassowitz.

– …………………, c'est mon réalisateur préféré.

**10.** – Je lis *L'Express* toutes les semaines.

– …………………, je lis plutôt *Le Nouvel Observateur*.

**6** Expression positive ou négative

**Complétez les phrases en choisissant une suite logique pour chacune d'elles :**

**1.** J'adore Jean-Louis, le copain de Dominique,

**2.** Je déteste les escargots,

**3.** Je trouve ce livre très intéressant,

**4.** Je n'aime pas le dernier film de Lelouch,

**5.** Ce restaurant est plutôt mauvais,

**6.** J'adore cette actrice,

**a.** je préfère un steak frites.

**b.** elle est tellement joyeuse.

**c.** et en plus c'est cher !

**d.** il est très drôle.

**e.** je suis passionnée d'histoire.

**f.** les acteurs sont nuls et c'est vraiment une histoire sans intérêt.

| 1 | 2 | 3 | 4 | 5 | 6 |
|---|---|---|---|---|---|
|   |   |   |   |   |   |

## 7) Phonétique : [f] / [v]

**Écoutez et dites si vous avez entendu [f], [v] ou les deux :**

|  | [f] | [v] | Les deux |
|---|---|---|---|
| 1 |  |  |  |
| 2 |  |  |  |
| 3 |  |  |  |
| 4 |  |  |  |
| 5 |  |  |  |
| 6 |  |  |  |
| 7 |  |  |  |
| 8 |  |  |  |
| 9 |  |  |  |
| 10 |  |  |  |
| 11 |  |  |  |
| 12 |  |  |  |
| 13 |  |  |  |
| 14 |  |  |  |
| 15 |  |  |  |

## 8) Intonation positive ou négative

**Écoutez et dites si c'est positif ou négatif :**

|  | Positif | Négatif |
|---|---|---|
| 1 |  |  |
| 2 |  |  |
| 3 |  |  |
| 4 |  |  |
| 5 |  |  |
| 6 |  |  |
| 7 |  |  |
| 8 |  |  |
| 9 |  |  |

# 9 Écrit : cartes postales

**Complétez les cartes postales avec les éléments à côté de chaque carte :**

Le Revard - Savoie          Les Éditions FAVRIN

*Cher Alain,*

*Je suis à* ....................

......................................

......................................

......................................

......................................

......................................

......................................

*Lumière de montagne - Reproduction interdite*

**A**

- Montagne
- Promenade / marche
- Beau temps
- Retour fin semaine prochaine
- Formule de politesse
- Signature

---

SALVADOR DE BAHIA

*Chers amis,*

*Nous sommes à* ....................

......................................

......................................

......................................

......................................

......................................

......................................

© DOS SANTOS - BRAZIL

**B**

- Salvador de Bahia
- Ville extraordinaire
- Gens très sympas
- Nos occupations : musique, plage, danse
- Rendez-vous en septembre
- Amitiés
- Signature

Besançon - Doubs
25000                                          EFD

*Cher ami,*

*Je fais un stage à* ...............

...................................................

...................................................

...................................................

...................................................

...................................................

...................................................

BESANÇON - FRANCE - Reproduction interdite

--------- C ---------

- Besançon
- Très intéressant
- Beaucoup de
  rencontres
- Travail et tourisme
- Rendez-vous fin
  juillet à Paris
- Formule de politesse
- Signature

## 10 Orthographe : é / è / ê

**Mettez les accents *é / è / ê* sur les mots en caractères gras :**

**1.** Il est **tres bete**.

**2.** J'aime la **Grece**.

**3.** Je **deteste** les villes.

**4.** Je vais à une **fete** ce soir.

**5.** C'est **interessant** ce film.

**6.** **Apres** 8 heures, je serai à la maison.

**7.** Tu veux un **cafe** ?

**8.** La **fiancee** de Paul est **geniale** !

**9.** Quelle belle **soiree** !

**10.** Nous allons jusqu'à la **frontiere**.

## 11 Trop ; ne / n'... pas assez

**Réécrivez la deuxième partie de la phrase en utilisant *trop* ou *ne / n'... pas assez* :**

**1.** Je ne peux pas faire cet exercice, il est difficile.

...................................................................................................

**2.** Je ne peux pas acheter cette voiture, j'ai de l'argent.

...................................................................................................

**3.** Ne prends pas cette robe, elle est chère.

...................................................................................................

**4.** Je ne sors pas, il est tard.

...........................................................................................................................................

**5.** Je n'achète pas ce fauteuil, il est confortable.

...........................................................................................................................................

**6.** Je ne vais pas au cinéma, je suis fatiguée.

...........................................................................................................................................

**7.** Je vais me faire couper les cheveux, ils sont longs.

...........................................................................................................................................

**8.** Je n'ai pas eu mon examen, j'ai travaillé.

...........................................................................................................................................

**9.** Je ne prends pas cet appartement, il est petit.

...........................................................................................................................................

**10.** Jacques ne peut pas dormir là, ce lit est grand.

...........................................................................................................................................

# Séquence 7

*Reprise, anticipation*

## 1) L'heure

**Écoutez et dites à quel dialogue correspond l'heure que vous avez entendue :**

| | 22 h | 17 h 30 | midi | 9 h | 6 h | 18 h | 12 h 45 | 8 h 30 |
|---|---|---|---|---|---|---|---|---|
| **Dial. n°** | | | | | | | | |

## 2) Écrire l'heure

**Écrivez l'heure comme dans l'exemple :**

EXEMPLE ● *2 h* → *deux heures.*

**1.** 8 h 15 → ........................................................................ .

**2.** 6 h 30 → ........................................................................ .

**3.** 7 h → ........................................................................ .

**4.** 10 h 10 → ........................................................................ .

**5.** 22 h → ........................................................................ .

**6.** 21 h 30 → ........................................................................ .

**7.** 6 h 50 → ........................................................................ .

**8.** 15 h 15 → ........................................................................ .

## 3) L'heure courante

**Écrivez l'heure courante à partir de l'heure officielle :**

EXEMPLE ● *18 h 30* → *six heures et demie.*

**1.** 7 h 45 → ........................................................................ .

**2.** 13 h 10 → ........................................................................ .

**3.** 10 h 55 → ........................................................................ .

**4.** 16 h 05 → ........................................................................ .

**5.** 23 h 15 → ........................................................................ .

**6.** 11 h 50 → ........................................................................ .

**7.** 23 h 45 → ........................................................................ .

**8.** 4 h → ........................................................................ .

## 4) Rythme d'une journée

**Écoutez et dites ce que la personne fait à chaque moment de la journée :**

**1.** 10 h : il se lève.

**2.** 11 h : .......................................................................................................................... .

**3.** Midi : .......................................................................................................................... .

**4.** 3 h : .......................................................................................................................... .

**5.** 4 h : .......................................................................................................................... .

**6.** 8 h : .......................................................................................................................... .

**7.** 9 h : .......................................................................................................................... .

**8.** 11 h 30 : .......................................................................................................................... .

**9.** 2 h : .......................................................................................................................... .

## 5) Réactions

**Terminez la phrase avec un élément de la colonne de droite :**

**1.** Je n'ai rien compris,          **a.** parlez plus fort.

**2.** Je n'ai pas fini,             **b.** j'ai mal lu le plan de la ville.

**3.** Je me suis trompé,            **c.** vous expliquez mal.

**4.** J'ai oublié,                  **d.** j'ai fait trop de choses aujourd'hui.

**5.** Je n'ai pas entendu,          **e.** c'est très long.

| 1 | 2 | 3 | 4 | 5 |
|---|---|---|---|---|
|   |   |   |   |   |

## 6) Passé / présent / futur

**Dites si ce que vous avez entendu parle du passé, du présent ou du futur :**

|    | Passé | Présent | Futur |
|----|-------|---------|-------|
| 1  |       |         |       |
| 2  |       |         |       |
| 3  |       |         |       |
| 4  |       |         |       |
| 5  |       |         |       |
| 6  |       |         |       |
| 7  |       |         |       |
| 8  |       |         |       |
| 9  |       |         |       |
| 10 |       |         |       |

## 7 Phonétique : [k] / [g]

**Écoutez et dites si vous avez entendu [k], [g] ou les deux :**

|    | [k] | [g] | Les deux |
|----|-----|-----|----------|
| 1  |     |     |          |
| 2  |     |     |          |
| 3  |     |     |          |
| 4  |     |     |          |
| 5  |     |     |          |
| 6  |     |     |          |
| 7  |     |     |          |
| 8  |     |     |          |
| 9  |     |     |          |
| 10 |     |     |          |

## 8 Orthographe : c / g

*c* et *g* se prononcent [k] et [g] avec *a, o, u* et une consonne, et ils se prononcent [s] et [ʒ] avec *e, i.*

**a) Identifiez les phrases où *c* est prononcé [k] ou [s] :**

|  | [k] | [s] |
|--|-----|-----|
|  |     |     |
|  |     |     |
|  |     |     |
|  |     |     |
|  |     |     |
|  |     |     |
|  |     |     |
|  |     |     |

**1.** On va au cinéma ?

**2.** J'ai acheté un cadeau pour Claire.

**3.** On commande une pizza ?

**4.** C'est facile !

**5.** Le coucou, il chante au printemps.

**6.** C'est celle que je préfère.

**7.** Je veux du poulet au curry.

**8.** C'est un objet carré.

**b) Identifiez les phrases où *g* est prononcé [g] ou [ʒ] :**

|  | [g] | [ʒ] |
|--|-----|-----|
|  |     |     |
|  |     |     |
|  |     |     |
|  |     |     |
|  |     |     |
|  |     |     |
|  |     |     |
|  |     |     |

**1.** Je dois être à la gare à 8 heures.

**2.** C'est géant !

**3.** Ce pays est en guerre.

**4.** C'est un film très léger.

**5.** Attention, ça glisse !

**6.** Ce garçon est très drôle.

**7.** Tu as mal agi.

**8.** Regarde, une cigogne !

## 9) Prépositions

**Complétez les phrases avec** *dans / sur / à côté de / sous* :

1. Ton livre est …....…..…....… le bureau.

2. Il n'y a plus d'eau …....…..…....… le frigo.

3. Le café des Sports est …....…..…....… la place.

4. La boulangerie est …....…..…....… l'épicerie.

5. La poubelle est …....…..…....… l'évier.

6. En classe, je m'assieds toujours …....…..…....… Marie.

7. J'ai rencontré Anne …....…..…....… la rue.

8. Il y a un homme …....…..…....… le pont.

## 10) Tu / vous

**Écoutez et dites si les personnes se tutoient ou se vouvoient :**

|   | Tu | Vous |
|---|----|----|
| 1 |  |  |
| 2 |  |  |
| 3 |  |  |
| 4 |  |  |
| 5 |  |  |
| 6 |  |  |
| 7 |  |  |
| 8 |  |  |

## 11) Phonétique : [ã] / [ɛ̃]

**Écoutez et dites si vous avez entendu [ã], [ɛ̃] ou les deux :**

|   | [ã] | [ɛ̃] | Les deux |
|---|-----|------|----------|
| 1 |  |  |  |
| 2 |  |  |  |
| 3 |  |  |  |
| 4 |  |  |  |
| 5 |  |  |  |
| 6 |  |  |  |
| 7 |  |  |  |
| 8 |  |  |  |
| 9 |  |  |  |
| 10 |  |  |  |

## 12) Pronoms compléments

**Complétez avec** *le / la / l' / les / ça* :

1. La femme de Paul, je ............. rencontre tous les matins.

2. Ton frère, je ............. trouve sympa.

3. Le thé, je déteste ............. .

4. Le téléphone, je ne ............. entends jamais.

5. Je ............. aime bien, les amis de Françoise.

6. Ne rien faire, j'adore ............. !

7. Non, je ne ............. connais pas cette femme.

8. Oui, je ............. ai, ton numéro de portable.

9. La morue, je n'aime pas ............. .

10. Ce devoir, tu ............. refais ?

# Séquence 8

*Arguments*

## 1 Caractériser pour argumenter

**Écoutez les enregistrements et indiquez le nombre d'arguments positifs et négatifs utilisés :**

| Dial. | Thème | Nombre d'arguments | Nombre d'arguments positifs | Nombre d'arguments négatifs |
|-------|-------|--------------------|-----------------------------|------------------------------|
| 1 | train | | | |
| 2 | homme | | | |
| 3 | portable | | | |
| 4 | robe | | | |
| 5 | femme | | | |
| 6 | restaurant | | | |
| 7 | voiture | | | |
| 8 | glace | | | |

## 2 Caractériser positivement

**Choisissez le jugement qui correspond à l'objet :**

1. Une voiture
2. Un hôtel
3. Un plat
4. Une exposition
5. Un film
6. Un vêtement
7. Un appareil photo
8. Un paysage

a. Vraiment intéressant. Quel succès !
b. Il est au centre-ville, mais c'est tranquille.
c. Il est simple mais très performant.
d. C'est une comédie follement amusante.
e. Elle est rapide, sûre et confortable.
f. C'est magnifique.
g. Cette couleur te va très bien.
h. Bravo ! C'est délicieux.

| 1 | 2 | 3 | 4 | 5 | 6 | 7 | 8 |
|---|---|---|---|---|---|---|---|
| | | | | | | | |

## 3 Argumenter logiquement

**Complétez les phrases en choisissant le bon argument :**

1. C'est une histoire intéressante, mais ...
   ❏ le scénario est faible.
   ❏ les acteurs jouent mal.
   ❏ Depardieu joue très bien.

2. C'est une jolie région et, en plus, ...
   ❏ les habitants ne sont pas très sympathiques.
   ❏ il fait très froid.
   ❏ les gens sont accueillants.

**54** *Parcours 2* ● Séquence 8

**3.** C'est une fille très élégante, mais ...
- ❏ elle n'est pas souriante.
- ❏ elle est très agréable.
- ❏ elle s'habille mal.

**4.** J'aime bien sa peinture, mais ...
- ❏ il ne sait pas peindre.
- ❏ c'est un peu cher.
- ❏ il a beaucoup de talent.

**5.** C'est un gentil garçon, mais ...
- ❏ il est tout à fait sympathique.
- ❏ je l'aime beaucoup.
- ❏ il n'est pas très intelligent.

**6.** C'est un très bon restaurant. Et ...
- ❏ la nourriture est médiocre !
- ❏ ce n'est pas cher du tout !
- ❏ le service est déplorable !

**7.** Cet appartement est calme et, en plus, ...
- ❏ il est bien situé.
- ❏ il est bruyant.
- ❏ il est très cher.

**8.** La cuisine crétoise est délicieuse et, en plus, ...
- ❏ elle n'est pas bonne.
- ❏ elle est très lourde.
- ❏ elle est bonne pour la santé.

**4)** Argumenter : critique négative

**Complétez en choisissant l'expression la plus négative :**

**1.** Hier soir, j'ai vu un film ….........…....……...……..... . (inintéressant / détestable / plaisant)

**2.** Les tableaux de cette exposition sont …..........…....……..... . (atroces / laids / remarquables)

**3.** J'ai passé des vacances …..........…....……..... . (pénibles / délicieuses / épouvantables)

**4.** Jacques habite un appartement …..........…....……..... . (minable / minuscule / immense)

**5.** Magali est une fille tout à fait …..........…....……..... . (ordinaire / médiocre / exceptionnelle)

**6.** Les résultats scolaires de Gérald sont …..........…....……................................ .
(catastrophiques / passables / excellents)

**7.** Olivier est un garçon …..........…....……..... .(antipathique / sympathique / détestable)

**8.** Ici, en hiver, le climat est vraiment …...........…....……................................ .
(difficile / insupportable / agréable)

**5)** Argumenter : critique positive

**Complétez en choisissant l'expression la plus positive :**

**1.** Voilà un film …..........…....……................... ! (génial / intéressant / plaisant)

**2.** Cédric est un garçon …..........…....……............... . (agréable / sympathique / formidable)

**3.** Josette ? Elle est vraiment très …..........…....……............... . (jolie / belle / mignonne)

**4.** Bravo ! Vous avez fait un travail …................................................. .
(acceptable / intéressant / extraordinaire)

**5.** Merci. Nous avons passé une soirée …................................................. .
(délicieuse / sympathique / agréable)

**6.** Votre bouillabaisse est vraiment …..........…....……..... . (excellente / bonne / remarquable)

**7.** Mademoiselle Girard est une collaboratrice …................................................. .
(efficace / exceptionnelle / intelligente)

**8.** François Nicoulaud est un élève …..........…....……..... . (brillant / intelligent / doué)

**6** Phonie / graphie : [e] / [ɛ]

**Écoutez l'enregistrement et mettez les accents é / è / ê qui conviennent :**

1. L'ete prochain, vous etes en Grece.
2. Charlotte a mange chez sa mere.
3. Rene a epouse Penelope.
4. Irene a arrete de fumer.
5. Le pere d'Etienne a telephone.
6. Le 21 juin, c'est le debut de l'ete et c'est la fete de la Musique.
7. Bonnes fetes de fin d'annee !
8. Andree a mal à la tete.

**7** Pronoms compléments

**Complétez en utilisant le / la / l' / les / ça :**

1. Françoise est une fille très sympathique : je ............ aime beaucoup.
2. Les parents de Philippe habitent près de chez moi : je ............ connais bien.
3. Le tango argentin, tu sais danser ............ , toi ?
4. Tu ............ connais bien, Maryse ?
5. La cancoillotte, c'est un fromage de Franche-Comté. J'adore ............ !
6. Tu ............ trouves intéressant, ce livre ?
7. Marie ? Je ............ rencontre aujourd'hui à 18 h.
8. Les Duperrier, je ............ trouve très sympathiques.

**8** Argumenter : critique positive

**Choisissez la réponse exprimant le jugement le plus positif :**

1. Tu le trouves comment, le nouveau professeur de français ?
   - ❏ Bien !
   - ❏ Génial !
   - ❏ Pas mal !

2. Tu as vu la nouvelle voiture de Jean Perrin ?
   - ❏ Elle est belle et, en plus, il ne l'a pas payée cher.
   - ❏ Elle n'est pas mal, mais elle est déjà en panne, non ?
   - ❏ Elle est un peu « frime », tu ne trouves pas ?

3. Comment tu as trouvé la soirée chez Jean-Paul, hier soir ?
   - ❏ Plutôt ennuyeuse.
   - ❏ On s'est bien amusé.
   - ❏ Bof ! Comme d'habitude.

4. Alors, ton nouveau patron, il est comment ?
   - ❏ Froid, très froid : il dit à peine bonjour.
   - ❏ Je le trouve assez sympathique.
   - ❏ Il est très chaleureux : il vient du Midi, alors ...

## 9  Pronoms compléments

**Complétez en utilisant** *le / la / l' / les / ça* :

**1.** Elles sont où, mes clefs ? Je ne ............ trouve pas.

**2.** Les frites, j'aime beaucoup ............ .

**3.** Marc ? Je ............ attends d'un moment à l'autre.

**4.** Tu ............ connais, Christine ?

**5.** Vous aimez ............, vous, les escargots ?

**6.** Carole, je ............ trouve vraiment sympa.

**7.** Je ............ aime beaucoup, Stéphane : c'est un très bon copain.

**8.** Dis, tu me ............ prêtes, ton vélo ?

## 10  Complimenter / féliciter

**Choisissez le compliment ou les félicitations qui correspondent à la personne et/ou à la circonstance :**

**1.** Une jeune fille
**2.** Un petit garçon
**3.** Des jeunes mariés
**4.** Un peintre qui expose
**5.** Une petite fille
**6.** Un conférencier
**7.** Un lauréat d'un examen
**8.** Un cuisinier

**a.** Bravo ! C'était passionnant.
**b.** Tout à fait remarquable. Quel talent !
**c.** Félicitations ! C'est une belle réussite.
**d.** Vous êtes absolument ravissante.
**e.** Félicitations ! et tous mes vœux de bonheur.
**f.** Félicitations ! C'est un délice !
**g.** Elle est adorable.
**h.** Comme il est mignon !

| 1 | 2 | 3 | 4 | 5 | 6 | 7 | 8 |
|---|---|---|---|---|---|---|---|
|   |   |   |   |   |   |   |   |

## 11  Liaisons : les mots en *h*

**Écoutez et dites si la liaison a été prononcée ou pas :**

| | A été prononcée | N'a pas été prononcée |
|---|---|---|
| **1.** C'est **un h**ôtel très confortable. | | |
| **2.** Mon appartement est **en h**aut de l'immeuble. | | |
| **3.** *Le***s H***éros sont fatigués* : c'est le titre d'un film ? | | |
| **4.** Nous arrivons dans deu**x h**eures. | | |
| **5.** Les Vandame sont actuellement **en H**ollande. | | |
| **6.** Fabien et Laurent sont de**s h**ommes charmants. | | |
| **7.** Tu regardes to**n h**oroscope ? | | |
| **8.** Gyula et Jozsef son**t h**ongrois. | | |

**12** Orthographe : masculin / féminin des adjectifs

Trouvez le masculin des adjectifs en caractères gras :

1. Une fille **mignonne**.

   Un garçon ..................................... .

2. Une pizza **napolitaine**.

   Un chanteur ..................................... .

3. Une femme **rousse**.

   Un homme ..................................... .

4. Une histoire **folle**.

   Un prix ..................................... .

5. Une semaine **commerciale**.

   Un attaché ..................................... .

6. Une actrice **grecque**.

   Un écrivain ..................................... .

7. La cuisine **japonaise**.

   Un plat ..................................... .

8. Une bouillabaisse **excellente**.

   Un travail ..................................... .


**13** Orthographe : masculin / féminin des adjectifs

Trouvez le masculin des adjectifs en caractères gras :

1. Une robe **chère**.

   Un pull ..................................... .

2. Une sauce **provençale**.

   Un accent ..................................... .

3. Une pension **complète**.

   Un hôtel ..................................... .

4. Une femme **amoureuse**.

   Un homme ..................................... .

5. Une saison **chaude**.

   Un été ..................................... .

6. Une page **personnelle**.

   Un agenda ..................................... .

7. Une fille **brune**.

   Un garçon ..................................... .

8. Une mer **bleue**.

   Un ciel ..................................... .


**14** Orthographe : masculin / féminin des adjectifs

Trouvez le masculin des adjectifs en caractères gras :

1. Une chanteuse **connue**.

   Un acteur ..................................... .

2. Une actrice **canadienne**.

   Un hiver ..................................... .

3. Une personne d'origine **maghrébine**.

   Un jeune homme ..................................... .

4. Une fille **sportive**.

   Un copain ..................................... .

5. Une personne **délicieuse**.

   Un repas ..................................... .

6. Une réponse **sûre**.

   Un homme ..................................... .

7. Une conférence **ennuyeuse**.

   Un film ..................................... .

8. Une **dernière** valse.

   Un ..................................... tango.

# Parcours 3

## 1) Participes passés

**Classez les participes passés des verbes qui suivent dans le tableau :** *travailler, sortir, savoir, entendre, chanter, lire, perdre, marier, connaître, dire, comprendre, parler, habiter, apprendre, venir, boire, pouvoir, acheter.*

| Participes passés en é | Participes passés en *i (i, is, it)* | Participes passés en *u* |
|---|---|---|
| ............................ | ............................ | ............................ |
| ............................ | ............................ | ............................ |
| ............................ | ............................ | ............................ |
| ............................ | ............................ | ............................ |
| ............................ | ............................ | ............................ |
| ............................ | ............................ | ............................ |
| ............................ | ............................ | ............................ |
| ............................ | ............................ | ............................ |

## 2) Participes passés

**Complétez les phrases avec les participes passés des verbes qui suivent :** *travailler, passer, entendre, vendre, apprendre, sortir, lire, pouvoir, comprendre, avoir, acheter.*

**1.** J'ai ................................... un an dans une compagnie d'aviation.

**2.** J'ai ................................ le dernier livre d'Amélie Nothomb.

**3.** Vous avez ................................... ce dialogue ?

**4.** Tu as ................................... du lait et des yaourts à l'épicerie ?

**5.** Non, je n'ai pas ................................... faire les courses, je n'ai pas ................................... le temps.

**6.** Marc n'est pas là, il est ................................... ce matin.

**7.** Vous pouvez répéter ? Je n'ai pas ................................... .

**8.** J'ai ................................... une voiture à un bon prix.

**9.** Vous avez ................................... de bonnes vacances ?

**10.** J'ai ................................ le français au lycée.

## 3 Questions / réponses

**Associez les questions et les réponses :**

1. Tu as arrêté de fumer ?
2. Vous avez travaillé au Brésil ?
3. Tu as passé quatre ans en Égypte ?
4. Ce matin, tu es passé au garage ?
5. Tu as connu Marcel Lambert ?
6. Tu es allée au cinéma la semaine dernière ?
7. Tu as changé de voiture ?
8. Pierre est parti ?

a. Oui, j'ai laissé la voiture jusqu'à demain.
b. Oui, je crois, il y a longtemps, au Canada.
c. Oui, pendant deux ans comme ingénieur.
d. Oui, il y a un an.
e. Oui, et ensuite je suis rentré en France.
f. Oui, il a pris l'avion hier.
g. Oui, samedi, j'ai vu *Final Fantasy*.
h. Oui, j'ai acheté une Renault.

| 1 | 2 | 3 | 4 | 5 | 6 | 7 | 8 |
|---|---|---|---|---|---|---|---|
|   |   |   |   |   |   |   |   |

## 4 Activités

**À partir des dessins, racontez ce que le personnage a fait pendant le week-end :**

1.

4.

2.

5.

3.

........................................................................
........................................................................
........................................................................
........................................................................
........................................................................
........................................................................
........................................................................

## 5) Auxiliaires

**Complétez avec le verbe *être* ou le verbe *avoir* :**

1. Il …....…...…..... né en 1965.

2. Nous …....…...…..... fait un beau voyage.

3. Vous …....…...…..... allés à Marseille ?

4. Je …....…...…..... arrivé hier soir.

5. Son fils …....…...…..... entré dans une école de commerce.

6. Vous …....…...…..... reçu ma lettre ?

7. Ils …....…...…..... perdu le match.

8. Elle …....…...…..... vendu sa voiture.

9. Il …....…...…..... parti ce matin.

10. Nous …....…...…..... couru pour prendre le bus.

## 6) Dialogues

**Composez trois dialogues en choisissant un élément dans chaque groupe de trois phrases :**

1. **a)** – Tu as aimé le film de Lelouch ?
   **b)** – Vous êtes allés en Grèce cet été ?
   **c)** – Vous êtes parti en vacances ?
2. **a)** – Oui, mais seulement quinze jours.
   **b)** – Non, pas beaucoup mais ensuite j'ai vu *La Planète des singes*.
   **c)** – Oui, dans l'île de Chios, on a bien aimé.
3. **a)** – Je connais, je suis allée dans cette île il y a quatre ans.
   **b)** – Moi aussi, la semaine dernière. J'ai trouvé ce film moyen.
   **c)** – Nous, nous avons beaucoup voyagé dans le sud de la France.

1. …....…...…..........................................................................................................
   ….......................................................................................................................
   ….......................................................................................................................

2. …....…...…..........................................................................................................
   ….......................................................................................................................
   ….......................................................................................................................

3. …....…...…..........................................................................................................
   ….......................................................................................................................
   ….......................................................................................................................

## 7) Graphie du son [ɛ]

**a) Complétez les phrases en choisissant le mot qui convient :**

1. Tu vas te …....…...…..... ! (terre / taire)

2. Tu …....…...…..... ton temps. (paire / père / perds)

3. Sa …................... s'appelle Annie. (maire / mère / mer)

4. Tu sais …................... cet exercice ? (faire / fer)

5. Il manque un …................... à eau. (ver / vert / verre)

6. N'achète pas ce pantalon, il est trop …................... . (chair / cher / chère)

7. J'ai vu une …................... de chaussures qui me plaît. (père / paire)

8. C'est …................... difficile. (trait / très)

**b) Relevez les différentes façons d'écrire le son [ɛ] :**

…..............................................................................................................................................................

…..............................................................................................................................................................

# 8 Activités

**Reconstituez les phrases :**

1. Ce film est très drôle,                          **a.** j'ai beaucoup nagé.
2. Il a eu son examen sans problèmes,             **b.** il a trop mangé.
3. J'ai mal à la gorge,                            **c.** il a bien travaillé.
4. La mer était excellente,                        **d.** j'ai beaucoup maigri.
5. J'ai fait un régime,                            **e.** j'ai trop parlé.
6. On est fatigué,                                 **f.** nous nous sommes bien amusés.
7. Il a mal à l'estomac,                           **g.** j'ai beaucoup ri.
8. Nous avons passé une bonne soirée,             **h.** on a trop marché.

| 1 | 2 | 3 | 4 | 5 | 6 | 7 | 8 |
|---|---|---|---|---|---|---|---|
|   |   |   |   |   |   |   |   |

# 9 Passés composés et accords

**Complétez les phrases en mettant les verbes entre parenthèses au passé composé et en respectant les accords :**

1. Anne (partir)…..............................…...... une semaine aux États-Unis.

2. Les enfants ne sont pas là, ils (aller) …..............................…...... faire des courses.

3. Mademoiselle, vous (rester) …..............................…...... longtemps en Italie ?

4. La secrétaire (monter) …..............................…...... chez le directeur.

5. Ils sont jumeaux, ils (naître) …..............................…...... le même jour.

6. Il y a eu trop de soleil, toutes les plantes (mourir) …..............................…...... .

7. Paul et Marie (arriver) …..............................…...... ce matin à Paris.

8. Tu (sortir) …..............................…...... hier soir, Carmen ?

9. Sa mère (venir) …..............................…...... la semaine dernière.

10. Ils (rentrer) …..............................…...... très tard.

## 🔊 10) Participes passés

**Écoutez et écrivez le participe passé des verbes :**

1. Pleuvoir : ........................... .
2. Voir : ........................... .
3. Pouvoir : ........................... .
4. Recevoir : ........................... .

5. Croire : ........................... .
6. Décevoir : ........................... .
7. Élire : ........................... .
8. Boire : ........................... .

## 🔊 11) Participes passés

**Écoutez et écrivez le participe passé des verbes :**

1. Comprendre : ........................... .
2. Partir : ........................... .
3. Finir : ........................... .
4. Dire : ........................... .

5. Prendre : ........................... .
6. Promettre : ........................... .
7. Mettre : ........................... .
8. Sortir : ........................... .

## 12) Écrit : carte postale

**Avec les informations suivantes, rédigez une carte postale pour raconter à un ami ce que vous avez fait pendant le week-end et ajoutez une appréciation :**

- samedi : courses avec une amie, cinéma, restaurant chinois le soir ;
- dimanche : grande promenade, baignade, bateau, retour très tard.

.................................................................................................
.................................................................................................
.................................................................................................
.................................................................................................
.................................................................................................
.................................................................................................
.................................................................................................

# Séquence 10

## 1 Passé composé

**Écoutez les dialogues et dites ce que les personnages ont fait ou n'ont pas fait :**

|  | Fait | Pas fait |
|---|---|---|
| Réserver une chambre pour le 19.04 |  |  |
| Payer le loyer |  |  |
| Appeler Météo France |  |  |
| Réserver une table au Poker d'As |  |  |
| Laisser la voiture au garage |  |  |
| Prendre rendez-vous chez l'ophtalmologiste |  |  |
| Acheter un cahier de dessin pour Gaël |  |  |
| Acheter un cadeau pour Jacky |  |  |

## 2 Chronologie d'un récit

**Remettez le texte suivant dans l'ordre :**

**1.** Les flammes ont ensuite gagné le garage de monsieur Geillon.

**2.** Heureusement, ce sinistre n'a pas fait de victimes.

**3.** Hier soir, vers 17 heures, la foudre a frappé la ferme de monsieur Maurice Geillon, agriculteur à Valvert.

**4.** L'incendie a complètement détruit un tracteur et une remorque ainsi que le véhicule personnel de l'agriculteur, une Renault Twingo.

**5.** Le feu a alors rapidement pris dans un bâtiment contenant du fourrage.

|  |  |  |  |  |
|---|---|---|---|---|
|  |  |  |  |  |

## 3 Il y a / depuis / ça fait ... que / il y a ... que

**Complétez en utilisant** *il y a / depuis / ça fait ... que / il y a ... que* **:**

**1.** …........…......... longtemps …........…......... votre train est parti ! Vous l'avez manqué !

**2.** Mon père est à la retraite …........…......... 1999.

**3.** Marie-Hélène est en vacances …........…......... quinze jours.

**4.** Le directeur est arrivé ..................... une heure. Il vous attend.

**5.** ..................... un mois ..................... je n'ai pas vu Jean Perrin. Qu'est-ce qu'il fait ?

**6.** Géraldine a rencontré Bertrand ..................... tout juste un an. Ils se marient la semaine prochaine.

**7.** Tu exagères ! ..................... une heure et demie ..................... je t'attends !

**8.** Véronique travaille dans la même entreprise ..................... des années.

## 4) Il y a / depuis / ça fait ... que / il y a ... que

**Complétez en utilisant** *il y a / depuis / ça fait ... que / il y a ... que* :

**1.** Martine me doit de l'argent ..................... six mois.

**2.** ..................... des années ..................... je veux visiter les États-Unis.

**3.** Virginie ? Elle est partie ..................... dix minutes à peine.

**4.** André et Claudine s'aiment ..................... des années !

**5.** ..................... mon voyage au Mexique, j'adore la cuisine mexicaine.

**6.** ..................... à peine quinze jours ..................... il a changé de voiture.

**7.** Pierre et moi, nous nous sommes rencontrés ..................... des années.

**8.** Pierre et moi, nous nous connaissons ..................... des années.

## 5) Chronologie d'un récit

**Remettez le texte suivant dans l'ordre :**

**1.** L'avion a pu repartir en fin de matinée après une vérification technique.
**2.** Elle a immédiatement signalé l'incident à une hôtesse.
**3.** Juste après le décollage, une passagère de nationalité italienne, madame Christiane Taglianti, a remarqué une légère fumée au niveau du deuxième réacteur gauche.
**4.** Le commandant de bord, monsieur Juan Mora, a alors pris la décision de revenir se poser.
**5.** Lundi matin, à 6 h 07, un Airbus A 340 de la compagnie Iberia a dû faire demi-tour pour revenir se poser en urgence sur une piste de l'aéroport de Roissy.

| | | | | |
|---|---|---|---|---|
| | | | | |

## 6) Passé négatif

**Répondez, selon le cas, affirmativement ou négativement aux questions suivantes en utilisant** *déjà* **ou** *ne ... jamais* :

**1.** Avez-vous déjà rencontré le grand amour ?

..................................................................................................................

**2.** Avez-vous déjà gagné une grosse somme à un jeu de hasard ?

..................................................................................................................

**3.** Êtes-vous déjà arrivé(e) en retard à un rendez-vous important ?

.................................................................................................................................

**4.** Avez-vous déjà oublié vos clés à l'intérieur de votre voiture fermée ?

.................................................................................................................................

**5.** Avez-vous déjà rencontré une personne célèbre ?

.................................................................................................................................

**6.** Avez-vous déjà pris le Concorde ?

.................................................................................................................................

**7.** Avez-vous déjà eu un accident de voiture ?

.................................................................................................................................

**8.** Avez-vous déjà perdu votre portefeuille ?

.................................................................................................................................

## 7) Rédiger un court message

**Écoutez les enregistrements et écrivez les messages correspondants :**

## 8 Passé négatif

**Mettez les phrases à la forme négative :**

**1.** René a invité Christine à déjeuner.

....................................................................................................

**2.** J'ai rencontré Alain au café de la Paix.

....................................................................................................

**3.** Alexandre est allé faire les courses.

....................................................................................................

**4.** Sylvie et sa grand-mère sont sorties.

....................................................................................................

**5.** Jonathan a visité Alexandrie.

....................................................................................................

**6.** Henri a vendu sa voiture.

....................................................................................................

**7.** Pierre a répondu à la question du professeur.

..................................................................................................................................................................

**8.** Hier soir, j'ai mangé chez Jean.

..................................................................................................................................................................

## 9) Orthographe : graphie du son [ɛ] en finale
**Complétez les phrases avec** *ais / ait / aît / êt / et* :

**1.** Jean-Louis, tu es pr.......... ?

**2.** Je voudr.......... une chambre pour une nuit.

**3.** Harry est irland.......... .

**4.** Donnez-moi un verre de l.......... .

**5.** Deux croissants, s'il vous pl.......... .

**6.** Tu as un tick.......... de métro ?

**7.** Qu'est-ce que tu f.......... pendant les vacances ?

**8.** Désolé, monsieur, ce soir notre restaurant est compl.......... .

## 10) Orthographe : graphie du son [ɛ] ailleurs qu'en finale
**Complétez les phrases avec** *ai / ei / è* :

**1.** Pardon, mademoiselle, c'est pour un rens..........gnement, s'il vous plaît.

**2.** Je prendrai un café cr..........me.

**3.** Nous ..........mons bien René : c'est un garçon plein d'humour.

**4.** Vous pouvez m'..........der ?

**5.** Mohamed est célibat..........re.

**6.** La salle de cinéma est pl..........ne ce soir : le film a beaucoup de succès.

**7.** Vous pouvez l..........sser un message sur le répondeur apr..........s le bip sonore.

**8.** Bon annivers..........re, Michel !

## 11) Orthographe : graphie du son [ɛ] ailleurs qu'en finale
**Complétez les phrases avec** *ai / ei / è* :

**1.** Je vais à S..........te le mois prochain.

**2.** Je voudrais cette p..........re de chaussures, les noires dans la vitrine.

**3.** Tu veux rire ? Tu pl..........santes ?

**4.** Gabriel, c'est le p..........re de Sylvie.

**5.** Son départ m'a fait de la p..........ne.

**6.** Qu'est-ce que tu préf..........res, sortir ou rester à la maison ?

**7.** Vous, occupez-vous de vos aff..........res !

**8.** Ils ont passé une sem..........ne compl..........te à l'hôtel des Bains.

# Séquence 11

## 1 Demande

**a) Écoutez et notez le numéro de l'enregistrement correspondant à chaque demande :**

| | |
|---|---|
| Frontière | → Enr. n° ..... |
| Annonce gare | → Enr. n° ..... |
| Petit déjeuner à la maison | → Enr. n° ..... |
| Restaurant | → Enr. n° ..... |
| Café | → Enr. n° ..... |
| Renseignements gare | → Enr. n° ..... |
| Annonce aéroport | → Enr. n° ..... |
| Taxi | → Enr. n° ..... |

**b) Vous avez différentes formulations de la demande. Notez le numéro du ou des enregistrements qui correspondent à chaque manière d'exprimer la demande :**

| | |
|---|---|
| Conditionnel avec *pouvoir* | → Enr. n° ..... |
| Conditionnel avec *vouloir* | → Enr. n° ..... |
| Impératif | → Enr. n° ..... |
| Un ou plusieurs noms | → Enr. n° ..... |
| Expression *être prié de* | → Enr. n° ..... |
| *Pouvoir* | → Enr. n° ..... |

## 2 Quantification

**Complétez avec** *douzaine / litres / kilo / tranches / paquet / trois / un* **:**

**1.** Donnez-moi deux .......................... de lait.

**2.** Je voudrais un .......................... de pommes de terre.

**3.** .......................... cafés, s'il vous plaît.

**4.** Moi, je prendrai une .......................... d'escargots en entrée.

**5.** S'il vous plaît, deux thés et .......................... jus de tomate.

**6.** Huit .......................... de jambon de Parme.

**7.** Je vais prendre trois .......................... d'huîtres et deux citrons.

**8.** Si tu vas à l'épicerie, prends un .......................... de spaghettis et du vinaigre.

## 3 Conditionnel

**Mettez les verbes entre parenthèses au conditionnel pour exprimer une demande polie :**

**1.** Est-ce que vous (pouvoir) .......................... m'indiquer un bon restaurant ?

**2.** J'(aimer) .......................... trouver une petite robe noire sans manches.

**3.** Tu (pouvoir) .......................... me prêter ta voiture demain ?

**4.** Est-ce que vous (avoir) …..........…......… *Le Monde* d'hier ?

**5.** Je (vouloir) …......….....…...… trois kilos de tomates.

**6.** Est-ce que tu (avoir) …......…….....…… le téléphone de Jean-Marie ?

**7.** Nous (aimer) …......…….....…… trouver un livre sur la région.

**8.** Vous (pouvoir) …......…….....…… m'expliquer où se trouve la gare ?

**9.** Je (vouloir) …......…….....…… un réveil de voyage.

**10.** Tu (pouvoir) …......…….....…… appeler un médecin, je me sens mal.

## 4) Le pronom *on*

**Écoutez et dites ce que signifie le pronom *on* :**

|  | Nous | Les gens | Quelqu'un |
|---|---|---|---|
| 1 | | | |
| 2 | | | |
| 3 | | | |
| 4 | | | |
| 5 | | | |
| 6 | | | |
| 7 | | | |
| 8 | | | |
| 9 | | | |
| 10 | | | |

## 5) Les pronoms relatifs *qui / que*

**Écoutez et dites si vous entendez *qui* ou *que* :**

|  | Que | Qui |
|---|---|---|
| 1 | | |
| 2 | | |
| 3 | | |
| 4 | | |
| 5 | | |
| 6 | | |
| 7 | | |
| 8 | | |
| 9 | | |
| 10 | | |

## 6) Les pronoms relatifs *qui / que*

**Écrivez le maximum de phrases complexes en utilisant un élément de chaque colonne :**

| | |
|---|---|
| **1.** Je connais le fils de Charles | **a.** que tu connais. |
| **2.** C'est le professeur | **b.** que tu as demandé. |
| **3.** Il y a quelqu'un | **c.** que tu m'as prêté. |
| **4.** Voici le rapport | **d.** qui te cherche. |
| **5.** Alain a une fille | **e.** qui est excellent. |
| **6.** Je cherche le livre | **f.** que tu viens d'acheter. |
| **7.** J'ai vu un film | **g.** que je préfère. |
| **8.** Nous avons un ami | **h.** qui est brésilien. |
| **9.** Prête-moi le disque | **i.** celui qui habite à Rome. |

.......................................................................................
.......................................................................................
.......................................................................................
.......................................................................................
.......................................................................................
.......................................................................................
.......................................................................................
.......................................................................................
.......................................................................................

## 7) Arguments

**Exprimer pour chaque phrase l'avis contraire :**

**1.** C'est vraiment bon marché.

.......................................................................................

**2.** Cet exercice est difficile.

.......................................................................................

**3.** Il est tellement désagréable.

.......................................................................................

**4.** Ce film est inintéressant.

.......................................................................................

**5.** C'est un livre utile pour ton travail.

.......................................................................................

**6.** Quelle soirée ennuyeuse !

.......................................................................................

**7.** Elle est intelligente.

..............................................................................................................................

**8.** Cette fille est très drôle.

..............................................................................................................................

# 8) Futur

**Mettez les verbes entre parenthèses au futur :**

**1.** Nous (être) …......…......… douze pour le dîner de ce soir.

**2.** Elle (avoir) …......…......… seize ans dimanche.

**3.** Il (neiger) …......…......… dans le nord de la France.

**4.** Il y (avoir) …......…......… de nombreuses personnalités à ce congrès.

**5.** Vous (avoir) …......…......… quinze minutes pour répondre à cette question.

**6.** Le Premier ministre (être) …......…......… accompagné du ministre des Affaires étrangères.

**7.** Nous (rester) …......…......… quinze jours en Égypte.

**8.** Je (être) …......…......… à la gare de Lyon mardi à onze heures.

**9.** Nous (partir) …......…......… à six heures du matin.

**10.** Demain le soleil (briller) …......…......… sur les pays méditerranéens.

# 9) Bulletin météo

**Rédigez un bulletin météo très court avec les éléments suivants :**
• matin : *neige / ensemble de la France* ;
• après-midi : *soleil sur le Sud / temps gris au Nord / températures en baisse partout / le soir, vents forts dans le Sud-Est.*

..............................................................................................................................

..............................................................................................................................

..............................................................................................................................

# 10) Orthographe : graphie du son [u] en finale

**a) Complétez les mots si nécessaire à partir de la liste suivante :** *dessous, un bout, des choux, un bijou, un chou, un loup, le cou, un coup, des bijoux, un fou, le genou, des cous, les genoux.*

**1.** Il m'a donné un cou….. de pied.

**2.** Ils sont fou….. .

**3.** Regarde dessou….. .

**4.** Passe-moi un bou….. de ficelle.

**5.** Dans ce conte, il y a un lou….. .

**6.** C'est un vrai fou….. de cinéma.

**7.** Qu'est-ce que tu as autour du cou….. ?

**8.** Elle a toujours de beaux bijou..... .

**9.** On mange du chou..... ?

**10.** Je me suis fait mal au genou..... .

**b) Donnez au moins cinq façons d'écrire le son [u] :**

...................................................................................................................

...................................................................................................................

## 11 Orthographe : graphie du son [ã]

**a) Complétez avec** *en / ent / ant / am / em / amp / and / end* :

**1.** Ils sont ..........semble.

**2.** Il y a beaucoup de v.......... .

**3.** C.......... euros.

**4.** C'est fatig.......... .

**5.** Il y a un gr.......... ch.......... de blé derrière la ferme.

**6.** J'ai vu un film d'horreur avec des v..........pires.

**7.** J'aime beaucoup les ch..........s corses.

**8.** Vous s..........blez fatigué.

**9.** Tu as vu *Le Dernier* ..........*pereur* ?

**10.** Elle n'ent.......... rien !

**b) Donnez au moins cinq mots que vous connaissez et qui comportent le son [ã] :**

...................................................................................................................

...................................................................................................................

**1** Repérage de l'imparfait

**Écoutez les enregistrements et dites si vous avez entendu l'imparfait ou autre chose :**

|   | Imparfait | Autre chose |
|---|-----------|-------------|
| 1 |           |             |
| 2 |           |             |
| 3 |           |             |
| 4 |           |             |
| 5 |           |             |
| 6 |           |             |
| 7 |           |             |
| 8 |           |             |

**2** C'était / il y avait / il faisait / il *ou* elle était

**Complétez les phrases en utilisant** *c'était / il y avait / il faisait / il* **ou** *elle était* :

**1.** Dans la salle d'attente de mon médecin, ….......…....…. beaucoup de monde.

**2.** Je suis allé faire du ski dans les Alpes : ….......…....…. très beau mais très froid.

**3.** Paul, je l'ai vu la semaine dernière. Je crois que ….......…....…. mardi.

**4.** Je suis partie mais, dans le frigo, ….......…....…. tout ce qu'il fallait pour manger.

**5.** J'ai rencontré Virginie hier matin. ….......…....…. à la gare.

**6.** Nous avons passé quinze jours à Sète. ….......…....…. un temps splendide.

**7.** Mon avion n'est pas parti : ….......…....…. trop de neige.

**8.** Nous sommes partis très tôt de la soirée d'anniversaire. ….......…....…. à peu près onze heures et demie.

**3** Morphologie de l'imparfait

**Mettez les verbes entre parenthèses à l'imparfait :**

**1.** Je (passer) ….......…....…. par là : alors, je suis venue te dire un petit bonjour.

**2.** Il y a deux ans, Bernard (travailler) ….......…....…. sur une plate-forme pétrolière, au Nigeria.

**3.** Excusez-moi. Je ne (vouloir) ….......…....…. pas vous déranger.

**4.** L'année dernière, je (finir) ….........………. mes cours le vendredi soir.

**5.** Fabien (venir) ….........………. souvent chez moi mais il ne (rester) ….........………..
pas longtemps.

**6.** Ah ! J'(être) ….........………. heureux en vacances ! Tous les soirs, je (sortir)
….........………., je (danser) ….........………., je (faire) ….........………. la fête !

**7.** En 1990, Pascal (habiter) ….........………. à la cité universitaire.

**8.** Tu es ici ? Je (croire) ….........………. que tu (vivre) ….........………. à l'étranger.

## 4) Morphologie de l'imparfait
**Mettez les phrases à l'imparfait :**

**1.** Je n'ai pas envie d'aller à cette soirée.

………………

**2.** Adrien souhaite parler avec toi.

………………

**3.** Tu ne me dois pas de l'argent, toi ?

………………

**4.** Je lis beaucoup de romans policiers.

………………

**5.** En Espagne, nous voyageons en train.

………………

**6.** Mes enfants téléphonent pendant des heures !

………………

**7.** Mais, tu joues de la guitare, toi, non ?

………………

**8.** Je ne connais pas l'Italie.

……………………………………………………………………………………………………………

## 5) Emploi de l'imparfait et du passé composé
**Complétez les phrases en employant le temps qui convient (imparfait ou passé composé) :**

**1.** Le feu (être) ….........………... rouge mais vous (passer) ….........………... !

**2.** Jean-Christophe (partir) ….........………... en vacances : il en (avoir)
….........………... besoin, il (être) ….........………. fatigué.

**3.** Le téléphone (sonner) ….........………... mais je (prendre) ….........………... ma
douche : je ….........………... (ne pas pouvoir) répondre.

**4.** Claude (entrer) ….........………... et il (ressortir) ….........………... tout de suite.

**5.** Le chien (traverser) ….........………... la route. Le chauffeur (freiner)
….........………... mais il (ne pas pouvoir) ….........………... l'éviter.

**6.** Françoise et Robert (passer) …..……..…..……….. hier soir à la maison mais nous (être) …..……..…..……….. absents.

**7.** Le directeur (ne pas recevoir) …..……..…..……….. votre lettre : la poste (être) ……………………………….. en grève.

**8.** Je (vouloir) …..……..…..……….. t'appeler tout à l'heure, mais mon portable (ne plus avoir) …..……..…..……….. de batterie.

## **6** Phonétique : [d] / [t]

**Écoutez et dites si vous avez entendu [d], [t] ou les deux :**

| | [d] | [t] | Les deux |
|---|---|---|---|
| 1 | | | |
| 2 | | | |
| 3 | | | |
| 4 | | | |
| 5 | | | |
| 6 | | | |
| 7 | | | |
| 8 | | | |

## **7** Imparfait / passé composé

**Écoutez l'enregistrement et complétez le programme de vacances de Jean-Claude :**

- Du 2 au 17 juillet : vacances en Grèce.
- 2 juillet : ……………………………………………………………………………………………..
- 3 et 4 juillet : ………………………………………………………………………………………..
- Du 5 au 12 juillet : ………………………………………………………………………………..
- 13 et 14 juillet : …………………………………………………………………………………….
- 15 et 16 juillet : …………………………………………………………………………………….
- 17 juillet : ……………………………………………………………………………………………..
- 18 juillet : ……………………………………………………………………………………………..

## **8** Orthographe : graphie du son [ε] en finale

**Complétez les mots avec** *et / êt / aie / ès / ais / ait / aît / aix* **:**

**1.** Vous avez de la monn….……., s'il vous plaît ?

**2.** Oh ! Ça suffit ! Fichez-moi la p….……. !

**3.** Je voudrais un bill….……. de train pour Annecy.

**4.** La maison de la culture, c'est tout pr............, au bout de cette rue.

**5.** Hamid, il conn............ tout le monde !

**6.** Nous avons une petite résidence secondaire dans une for............ . C'est vraiment très calme.

**7.** Qu'est-ce que tu fais............ avant ? Tu ét............ étudiant ?

**8.** Guillaume est parti : il ne pouv............ pas t'attendre plus longtemps.

## 9) Orthographe : masculin / féminin des adjectifs

**Trouvez le masculin des adjectifs en caractères gras :**

**1.** Une fille **géniale**.

Un copain .................................................. .

**2.** Une voiture **verte**.

Un pantalon .................................................. .

**3.** Une fille **maigre**.

Un homme .................................................. .

**4.** Une jupe **grise**.

Un temps .................................................. .

**5.** Une personne **sérieuse**.

Un homme .................................................. .

**6.** Une ville **laide**.

Un environnement .................................................. .

**7.** Une personnalité **sympathique**.

Un caractère .................................................. .

**8.** Une histoire **drôle**.

Un récit .................................................. .

## 10) Orthographe : masculin / féminin des adjectifs

**Trouvez le masculin des adjectifs en caractères gras :**

**1.** Une région **intéressante**.

Un séjour .................................................. .

**2.** Une boisson très **mauvaise**.

Un plat très .................................................. .

**3.** Une idée **rigolote**.

Un personnage .................................................. .

**4.** Une **belle** plage.

Un .................................................. pays.

**5.** Une plaisanterie **amusante**.

Un film .................................................. .

**6.** Une journée **triste**.

Un jour .................................................. .

**7.** Une réponse **nulle**.

Un acteur .................................................. .

**8.** Une voiture **spacieuse**.

Un appartement .................................................. .

# Parcours 4

# Séquence 13

*Demandes*

**1** Itinéraire

**Écoutez les trois enregistrements et dites lequel correspond au plan :**

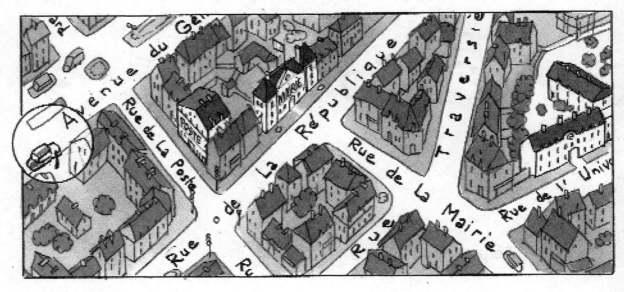

→ Enr. n° .....

**2** Intonation

**Écoutez et dites si chaque phrase exprime une demande ou autre chose :**

|    | Demande | Autre chose |
|----|---------|-------------|
| 1  |         |             |
| 2  |         |             |
| 3  |         |             |
| 4  |         |             |
| 5  |         |             |
| 6  |         |             |
| 7  |         |             |
| 8  |         |             |
| 9  |         |             |
| 10 |         |             |

## 3 ) En / y

**Complétez chacune des réponses avec *en* ou *y* :**

1. – Tu peux répondre au téléphone ?

   – Oui, j'............ vais.

2. – Il y a une exposition intéressante à Lyon sur la langue française.

   – Philippe m'............ a parlé, j'aimerais ............ aller.

3. – Tu as des cousins ?

   – Oui, j'............ ai deux, ils sont plus âgés que moi.

4. – Tu connais Rio de Janeiro ?

   – Oui, j'............ suis allée trois fois.

5. – Vous voulez un poulet ?

   – Non, j'............ voudrais deux.

6. Lille est une ville charmante. Il faut ............ habiter pour comprendre.

7. – Il n'y a plus de pain.

   – Je vais aller ............ acheter si tu veux.

## 4 ) Qu'est-ce que / est-ce que

**Faites correspondre les questions et les réponses :**

1. Est-ce que tu as acheté du pain ?          a. Oui, bien sûr.
2. Qu'est-ce que tu as acheté ?               b. Italien et espagnol.
3. Est-ce qu'il est français, Farid ?         c. Le rap.
4. Est-ce que tu connais la Turquie ?         d. Oui, une mousse au chocolat.
5. Qu'est-ce que tu aimes comme musique ?     e. Aller au cinéma.
6. Est-ce que tu veux un dessert ?            f. Non, je suis trop fatiguée.
7. Qu'est-ce que tu parles comme langues ?    g. Un livre pour l'anniversaire de Julie.
8. Est-ce qu'elle parle espagnol ?            h. Non, je n'y suis jamais allé.
9. Qu'est-ce que tu vas faire ce week-end ?   i. Non, les magasins sont fermés aujourd'hui.
10. Est-ce que tu veux aller au cinéma ?      j. Oui, elle est née à Lima.

| 1 | 2 | 3 | 4 | 5 | 6 | 7 | 8 | 9 | 10 |
|---|---|---|---|---|---|---|---|---|----|
|   |   |   |   |   |   |   |   |   |    |

## 5 ) Demande

**Reformulez les demandes familières d'une manière plus polie, à partir de l'exemple :**

EXEMPLE ● *Passe-moi le sel.*   → *Tu pourrais me passer le sel ?*

1. Un pain et deux éclairs au chocolat.

..................................................................................................................................

**2.** Passez-moi Madame Chauvin.

.................................................................................................................................

**3.** Tapez cette lettre tout de suite.

.................................................................................................................................

**4.** Faites moins de bruit !

.................................................................................................................................

**5.** Achète le journal.

.................................................................................................................................

**6.** Prêtez-moi votre machine à calculer.

.................................................................................................................................

**7.** Je veux un jus de tomate.

.................................................................................................................................

**8.** Attendez cinq minutes !

.................................................................................................................................


**6** Demande
**Reformulez les demandes polies d'une manière plus familière ou plus directe :**

**1.** Je voudrais une carte de téléphone et des tickets de bus, s'il vous plaît.

.................................................................................................................................

**2.** Si tu sors, tu pourrais acheter *Le Monde* ?

.................................................................................................................................

**3.** Vous pourriez m'indiquer où se trouve la gare ?

.................................................................................................................................

**4.** Tu pourrais baisser la musique ?

.................................................................................................................................

**5.** Mademoiselle Deschamps, vous voulez bien me sortir le dossier ?

.................................................................................................................................

**6.** Tu voudrais bien me commander un café et un Perrier ?

.................................................................................................................................

**7.** Tu aurais du temps pour m'aider à faire ce devoir ?

.................................................................................................................................

**8.** Vous auriez 2 euros, madame ?

.................................................................................................................................

## 7 Rédiger un programme

**Écoutez l'enregistrement et rédigez le programme sous forme de notes :**

## 8 Mots interrogatifs

**Écoutez et dites à quoi correspond la demande formulée dans chaque enregistrement. Relevez le mot interrogatif :**

|  | Dialogue n° | Mot interrogatif |
|---|---|---|
| Date d'anniversaire |  |  |
| Prix d'une place de cinéma |  |  |
| Horaire de train |  |  |
| Âge |  |  |
| Salaire mensuel |  |  |
| Dates de congés |  |  |
| Lieu de rendez-vous |  |  |
| Moyen de transport |  |  |

## 9 Horaires

Écoutez l'enregistrement et notez les trois possibilités pour les horaires de train :

....................................................................................................................

....................................................................................................................

....................................................................................................................

## 10 Rédiger une demande

**Vous voulez obtenir des brochures touristiques sur la Bretagne et des informations sur les possibilités d'hébergement. Vous écrivez à l'office du tourisme. Rédigez votre demande :**

....................................................................................................................

....................................................................................................................

....................................................................................................................

....................................................................................................................

....................................................................................................................

....................................................................................................................

## Séquence 14

*Consignes*

**1** Donner des consignes

**Remettez les consignes suivantes dans l'ordre :**

**Au distributeur de boissons**
1. Appuyez sur la touche verte.
2. Introduisez une pièce de deux euros.
3. Prenez votre boisson dans le bac en bas de l'appareil.
4. Composez le code à quatre chiffres de la boisson que vous désirez.

| | | | |
|---|---|---|---|
| | | | |

**2** Donner des consignes

**Remettez les consignes suivantes dans l'ordre :**

**En cas d'incendie dans l'immeuble**
1. Téléphonez aux pompiers (faites le 18).
2. Gagnez les sorties de secours par les escaliers.
3. Gardez votre calme.
4. Fermez les portes et les fenêtres.

| | | | |
|---|---|---|---|
| | | | |

**3** Donner des consignes

**Écoutez l'enregistrement et remettez les consignes dans l'ordre :**

**Pour participer à notre grand concours « Je veux des millions ! »**

| | | | |
|---|---|---|---|
| | | | |

**4** Donner des consignes

**Remettez les consignes suivantes dans l'ordre :**

**Pour utiliser un appareil photographique jetable**
1. Cadrez en regardant dans le viseur à gauche de l'appareil.
2. Tournez la molette de droite pour afficher le numéro de la photo.
3. Sortez l'appareil de son emballage.
4. Appuyez sur le déclencheur situé sur le côté de l'appareil.

| | | | |
|---|---|---|---|
| | | | |

## 5) Conjugaison de l'impératif
**Complétez les phrases en utilisant l'impératif :**

**1.** (Sortir) …….....…....….. tout de suite !

**2.** Allons, les enfants ! (Faire) …….....…....….. un peu de silence !

**3.** (Écouter) …….....…....….., j'entends un drôle de bruit.

**4.** (Appuyer) …….....…....….. sur le bouton de l'interphone.

**5.** (Composer) …….....…....….. votre code secret.

**6.** C'est moi qui vous invite : (choisir) …….....…....….. ce que vous voulez.

**7.** (Aider) …….....…....…..-moi, s'il vous plaît : je ne peux pas porter cette valise.

**8.** S'il te plaît, (fermer) …….....…....….. la fenêtre, j'ai froid.


## 6) Conjugaison de l'impératif
**Complétez les phrases en utilisant l'impératif :**

**1.** (Écrire) …….....…....…...... votre nom et votre adresse en haut de ce formulaire.

**2.** Tu as l'air triste. (Dire) …….....…....…...…-moi ce qui ne va pas.

**3.** (Ouvrir) …….....…....…...... votre livre à la page 67.

**4.** Je vous attends à 9 h 30 précises. (Être) …….....…....…...... à l'heure au rendez-vous.

**5.** Tu veux connaître le numéro de François ? (Appeler) …….....…....…...... le 12 : ce sont les renseignements.

**6.** Pour téléphoner, (introduire) …….....…....…...... votre carte dans l'appareil.

**7.** Tu as un peu de temps ? (Déjeuner) …….....…....…...... avec moi.

**8.** Nous partons. (Prendre) …….....…....…...... vos affaires.


## 7) Donner une consigne, un ordre ou un conseil à l'impératif
**Reformulez les phrases en utilisant l'impératif :**

**1.** Vous pouvez parler plus doucement, s'il vous plaît ?

...............................................................................................................................

**2.** Tu veux bien porter ma valise ? Elle est lourde !

...............................................................................................................................

**3.** Vous devriez écrire à vos grands-parents.

...............................................................................................................................

**4.** Georges ! Tu dois prendre ton médicament !

...............................................................................................................................

**5.** Tu sais, tu devrais lire ce livre.

...............................................................................................................................

**6.** Vous penserez à apporter mes affaires ?

..................................................................................................................................

**7.** Tu devrais prendre quinze jours de vacances.

..................................................................................................................................

**8.** Vous pouvez venir avant 18 h ?

..................................................................................................................................

## 8) Pronoms compléments

**Reformulez les phrases en utilisant l'impératif :**

**1.** Tu peux me donner ton numéro de téléphone, s'il te plaît ?

..................................................................................................................................

**2.** Tu me prêteras ta voiture, demain soir ?

..................................................................................................................................

**3.** Tu ne me parles pas ?

..................................................................................................................................

**4.** Vous voulez bien m'écouter cinq minutes ?

..................................................................................................................................

**5.** Tu me téléphoneras ?

..................................................................................................................................

**6.** Est-ce que vous pouvez m'attendre un quart d'heure ?

..................................................................................................................................

**7.** Vous pouvez m'aider, s'il vous plaît ?

..................................................................................................................................

**8.** Tu peux me dire ce que tu vas faire ?

..................................................................................................................................

## 9) Donner une consigne, un ordre ou un conseil à l'impératif

**Reformulez les phrases en utilisant l'impératif :**

**1.** Allô ? Vous pouvez me passer le secrétariat du directeur, s'il vous plaît ?

..................................................................................................................................

**2.** Tu devrais parler moins vite : Paolo ne te comprend pas.

..................................................................................................................................

**3.** Tu veux bien téléphoner pour appeler un taxi ?

..................................................................................................................................

**4.** Tu pourrais me prêter un parapluie ? J'ai oublié le mien.

..................................................................................................................................

**5.** Pour progresser en français, il faut parler plus souvent !

.......................................................................................................................................

**6.** Tu peux me montrer tes photos de vacances ?

.......................................................................................................................................

**7.** Ce quartier est trop bruyant, tu devrais changer d'appartement.

.......................................................................................................................................

**8.** Je suis venu à pied. Tu peux me ramener chez moi en voiture ?

.......................................................................................................................................

## 10 Faire des recommandations

**Complétez avec** *profitez, regardez, pensez, aérez, prenez, préférez, faites, choisissez* :

**Quelques conseils pour bien dormir**

**1.** ...................... la chambre où vous dormez. L'air est meilleur s'il est pur, vous serez mieux s'il ne fait pas trop chaud.

**2.** Ne ...................... pas d'excitants quelques heures avant de vous endormir, ...................... l'eau ou les tisanes : tilleul, verveine …

**3.** ......................-vous couler un bain chaud si vous avez du mal à vous décontracter. L'eau chaude vous apaisera. ...................... encore plus de votre bain en ajoutant des huiles parfumées, des plantes.

**4.** Ne ...................... pas d'images violentes (télévision, jeux vidéo) ; ...................... des occupations plus calmes (musique, lecture).

**5.** ...................... aux meilleurs moments de votre journée ou à un souvenir apaisant.

## 11) Verbe à construction simple ou double

**Complétez les réponses en reprenant le verbe de la question :**

1. – Tu as revu Colette ?

   – Oui, je …........……....……........….... avant-hier.

2. – Est-ce que tu as téléphoné à François ?

   – Oui, je …........……....……........…... .

3. – Tu as demandé à Jacques s'il est libre samedi soir ?

   – Oui, …........……....……......…........., il donnera sa réponse demain.

4. – Vous avez envoyé des fleurs à Éliane et à Paul pour leur mariage ?

   – Oui, je …........……....……........….... un très beau bouquet de roses.

5. – Tu vas voir Anne avant la fin de la semaine ?

   – Oui, je …........……....……........….... vendredi soir, à la piscine.

6. – Est-ce que tu as rapporté tes livres à la bibliothèque ?

   – Oui, j'y ai pensé : je …........……....……........….... ce matin.

7. – Tu peux donner cette enveloppe à Marc ?

   – Oui, je vais le voir à cinq heures, je …........……....……........…... .

8. – Tu as envoyé une carte d'anniversaire à Lydie ?

   – Oui, je …........……....……........….... une carte avec un dessin humoristique.


## 12) Morphologie du futur

**Conjuguez au futur le verbe entre parenthèses :**

1. Je (passer) …....…....…........ te prendre demain matin à sept heures et quart.

2. Est-ce que vous (pouvoir) …....…....…........ me remplacer la semaine prochaine ?

3. Ne vous inquiétez pas ! Vous (voir) …....…....…........, tout (aller) …....…....…........ bien !

4. Rendez-vous à six heures : nous (prendre) …....…....…........ la route à six heures vingt.

5. Dimanche, je te (faire) …....…....…........ une tarte aux pommes : tu adores ça.

6. Allez, maintenant, repos ! Nous (finir) …....…....…........ ce travail lundi, après le week-end.

7. Tu (penser) …....…....…........ à me téléphoner demain matin ?

8. Qui (vivre) …....…....…........ (voir) …....…....…........ !

**13** Futur : rédiger un programme

À partir du programme, rédigez une lettre pour informer les parents des élèves qui vont participer à un voyage scolaire :

---

**PROGRAMME**

- Départ en train le mercredi 24 avril 2002 à 7 h.
- Rendez-vous devant la gare à 6 h 45.
- Arrivée à Strasbourg à 10 h.
- Visite du centre-ville et de la cathédrale.

- 14 h : visite du Parlement européen et rencontre avec des parlementaires.
- 16 h : visite du quartier de la Petite France.
- 17 h 12 : départ de la gare de Strasbourg.
- 20 h 09 : retour. Rassemblement devant la gare.

---

Madame, Monsieur,

...................................................................................................

...................................................................................................

...................................................................................................

...................................................................................................

...................................................................................................

...................................................................................................

...................................................................................................

...................................................................................................

...................................................................................................

...................................................................................................

...................................................................................................

...................................................................................................

...................................................................................................

...................................................................................................

Veuillez agréer, Madame, Monsieur,
nos salutations distinguées.

Les professeurs responsables

---

**14** Orthographe : *avoir* ou *être*

Complétez les phrases avec la forme du verbe *avoir* ou du verbe *être* qui convient :

**1.** Tu ................. rentré à quelle heure, cette nuit ?

**2.** J'................. très soif.

**3.** À table, les enfants ! Vous n'................. pas faim ?

**4.** Excuse-moi, mais je n'................. pas le temps de venir te voir.

5. Vous n'…...…..…... pas malade ?

6. C'est moi qui …...…..…... fait ce tableau.

7. François ? Il …...…..…... exactement 49 ans.

8. Allez, rentrons ! Il …...…..…... tard.

## 15) Orthographe : peu / peux / peut

### a) Complétez les phrases avec *peu / peux / peut* :

1. Est-ce que tu …...…..…....... me téléphoner avant huit heures ?

2. J'ai appelé Paul : il …...…..…....... venir à six heures.

3. Ali travaille beaucoup mais gagne …...…..…....... .

4. Je ne …...…..…....... pas chanter : je chante faux !

5. Si tu veux, on …...…..…....... partir tout de suite.

6. Antonio ? Je le connais un …...…..…....... .

7. Il est à …...…..…....... près six heures, non ?

8. Le garagiste …...…..…....... réparer ma voiture pour demain soir.

### b) Pouvez-vous énoncer une règle ?

…...…..…...................................................................................................................

…...…..…...................................................................................................................

# Séquence 15

**1** Rapporter les paroles de quelqu'un

**Complétez, à partir des questions, avec** *dire que* **ou** *demander si* :

**1.** Vous êtes espagnole ?

Elle …………………………… vous êtes espagnole.

**2.** Je suis malade.

Il …………………………… il est malade.

**3.** Tu parles anglais ?

Il …………………………… tu parles anglais.

**4.** Vous connaissez Reims ?

Il …………………………… vous connaissez Reims.

**5.** Nous sommes en retard.

Ils …………………………… ils sont en retard.

**6.** J'arriverai à 17 heures.

Elle …………………………… elle arrivera à 17 heures.

**7.** J'ai acheté une nouvelle voiture.

Il …………………………… il a acheté une nouvelle voiture.

**8.** Tu as trouvé la voiture qui te plaît ?

Il …………………………… tu as trouvé la voiture qui te plaît.

**9.** Tu pars à Rome avec tes amis ?

Elle …………………………… tu pars à Rome avec tes amis.

**10.** Je vais à Reims lundi.

Il …………………………… il va à Reims lundi.

**2** Futur

**Écoutez et dites si vous avez entendu le futur ou autre chose :**

|   | Futur | Autre chose |
|---|-------|-------------|
| 1 |       |             |
| 2 |       |             |
| 3 |       |             |

| | Futur | Autre chose |
|---|---|---|
| 4 | | |
| 5 | | |
| 6 | | |
| 7 | | |
| 8 | | |
| 9 | | |
| 10 | | |

## 3 Information précise / imprécise

**Indiquez pour chaque phrase si l'information est précise ou imprécise :**

**1.** Le train en provenance de Marseille arrivera à 16 h 54.

**2.** Il y a à peu près deux cents personnes dans cet amphithéâtre.

**3.** Jacques ? Il a bien la quarantaine.

**4.** Voilà, vous me devez 54,25 euros.

**5.** J'arriverai vers 8 heures.

**6.** Elle est née le 18 juin 1975.

**7.** Il va gagner environ 2 000 euros.

**8.** Vous avez le n° 48, il y a neuf personnes avant vous pour le service que vous demandez.

**9.** Viens chez Annie avec moi, il n'y aura pas beaucoup de monde, entre quinze et vingt personnes.

**10.** Je l'ai rencontrée le 2 août 1991, je m'en souviens très bien.

| | Information précise | Information imprécise |
|---|---|---|
| 1 | | |
| 2 | | |
| 3 | | |
| 4 | | |
| 5 | | |
| 6 | | |
| 7 | | |
| 8 | | |
| 9 | | |
| 10 | | |

**4)** Comparatifs

**À partir des informations données, écrivez une ou plusieurs phrases en utilisant les comparatifs** *plus / moins ... que, plus de / moins de ... que* **:**

**1.** Prix d'un café en Europe :
  Espagne : 1,11 euro ; France : 1,16 euro ; Allemagne : 1,99 euro ; Suède : 2,51 euros.

..........................................................................................................................................

..........................................................................................................................................

..........................................................................................................................................

..........................................................................................................................................

**2.** Nombre d'habitants au Ghana : 19,5 millions. Nombre d'habitants en Gambie : 1,3 million.

..........................................................................................................................................

..........................................................................................................................................

**3.** Salaire de Françoise : 2 000 euros. Salaire de Valérie : 2 800 euros.

..........................................................................................................................................

..........................................................................................................................................

**4.** Appartement de Pascal : 6 pièces. Appartement de Denis : 2 pièces.

..........................................................................................................................................

..........................................................................................................................................

**5.** Henri a 42 ans et Gilles 38 ans.

..........................................................................................................................................

..........................................................................................................................................

**5)** Discours rapporté

**Écoutez et complétez chaque phrase à partir de l'enregistrement :**

**1.** Il dit qu'................................................................................................................... .

**2.** Il dit qu'................................................................................................................... .

**3.** Ils disent qu'............................................................................................................. .

**4.** Elle dit qu'................................................................................................................ .

**5.** Ils disent qu'............................................................................................................. .

**6.** Elle dit qu'................................................................................................................ .

**7.** Il dit qu'................................................................................................................... .

**8.** Elles disent qu'.......................................................................................................... .

**9.** Il dit qu'................................................................................................................... .

**10.** Elle dit qu'............................................................................................................... .

## 6 Programme

**Écoutez et remplissez l'agenda de M. Deschamps :**

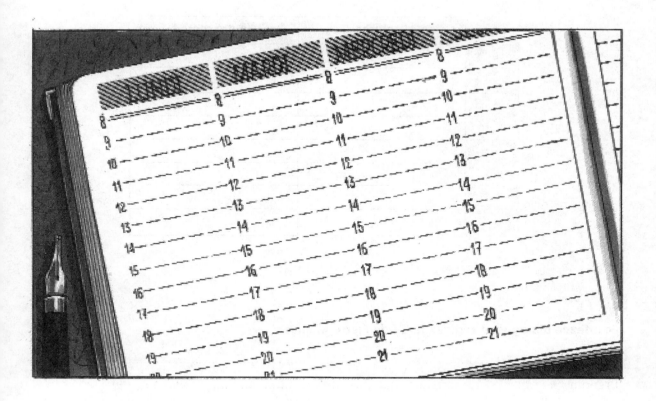

## 7 Consignes

**À partir des notes suivantes, rédigez les consignes pour un ami qui s'occupera de votre appartement pendant que vous serez en voyage :**

• Arroser plantes 2 fois / semaine.
• Ouvrir fenêtres 1 fois / semaine.
• Relever courrier.
• Laisser clés concierge.
• Noter messages téléphoniques.

..................................................................................................................................................
..................................................................................................................................................
..................................................................................................................................................
..................................................................................................................................................
..................................................................................................................................................

## 8) Intonation du reproche

Écoutez et dites si chacune des phrases exprime un reproche ou autre chose (ordre, conseil ...) :

|   | Reproche | Autre chose |
|---|----------|-------------|
| 1 |          |             |
| 2 |          |             |
| 3 |          |             |
| 4 |          |             |
| 5 |          |             |
| 6 |          |             |
| 7 |          |             |
| 8 |          |             |

## 9) CV

Écoutez le dialogue et rédigez le CV de Pierre Malin :

Nom : ...............................................................................................................

Prénom : ...........................................................................................................

Âge : ...............................................................................................................

Situation de famille : ...........................................................................................

Études : ...........................................................................................................

...............................................................................................................

Expérience professionnelle : ..................................................................................

...............................................................................................................

...............................................................................................................

Langues parlées : ...............................................................................................

## 10) Orthographe : le son [ã]

Écoutez et écrivez le mot ou les mots qui comportent le son [ã] :

1. ..........................................
2. ..........................................
3. ..........................................
4. ..........................................
5. ..........................................

6. ..........................................
7. ..........................................
8. ..........................................
9. ..........................................
10. ..........................................

## 11 Messages

Écoutez et rédigez les messages qui correspondent à chaque enregistrement :

# 12 Comparaison

**À partir du tableau, comparez les deux pays en faisant un maximum de phrases :**

| | Argentine | Venezuela |
|---|---|---|
| Population | 37 millions | 21,8 millions |
| Langue | espagnol | espagnol |
| Densité de population | 13 h/km² | 25 h/km² |
| Population urbaine | 89 % | 91 % |
| Produit intérieur brut/habitant | 7 610 $ | 4 300 $ |
| Taux de chômage | 16 % | 13 % |
| Taux d'alphabétisation | 98 % | 92 % |
| Nombre de chaînes de télévision | 42 | 7 |

..............................................................................................

..............................................................................................

..............................................................................................

..............................................................................................

..............................................................................................

..............................................................................................

..............................................................................................

..............................................................................................

# Séquence 16

*Propositions*

## 1 Phonie / graphie : [ɑ̃] / [ə]

**Écoutez et dites si *en* se prononce [ɑ̃] ou [ə] :**

|   | [ɑ̃] | [ə] |
|---|---|---|
| 1 |   |   |
| 2 |   |   |
| 3 |   |   |
| 4 |   |   |
| 5 |   |   |
| 6 |   |   |
| 7 |   |   |
| 8 |   |   |

## 2 Accepter / refuser

**Trouvez la proposition qui correspond à la réponse :**

1. C'est très gentil, mais samedi soir, je ne suis pas libre.
   - ❏ Vous voulez déjeuner avec moi samedi ?
   - ❏ Vous voulez venir à la fête que j'organise après-demain soir ?
   - ❏ On va passer le week-end à Amsterdam ?

2. Ah oui ! je n'ai pas vu cette exposition.
   - ❏ On pourrait aller voir le dernier film de Luc Besson ?
   - ❏ Il y a une très belle expo au Grand Palais, ça vous dirait ?
   - ❏ On va au théâtre ce soir ?

3. Impossible, je suis « fauché » ce mois-ci, alors pas de sortie !
   - ❏ On va faire une promenade au bord de la Seine ?
   - ❏ Tu aimerais aller voir Johnny Hallyday à Bercy ?
   - ❏ Viens, je t'offre un café.

4. Oui, d'accord ! Qu'est-ce que tu veux que j'apporte ?
   - ❏ Je vous invite au restaurant ce soir.
   - ❏ Tu viens au cinéma avec moi ce soir ?
   - ❏ Samedi, j'invite quelques copains, si tu as envie, tu viens.

5. Non merci, je déteste le bruit et la fumée.
   - ❏ Je vais voir un concert de musique latino ce soir, ça te dit ?
   - ❏ On va au cinéma demain ?
   - ❏ Tu aurais envie d'aller à l'Opéra ?

6. Ah oui ! ce serait bien, je ne suis jamais allée à Venise.
   - ❏ On passe le week-end à la maison ?
   - ❏ Un week-end loin d'ici, en amoureux, ça te dirait ?
   - ❏ On pourrait partir en week-end à la campagne ?

**7.** Non, désolée, je suis prise samedi soir.
- ❏ On va à la piscine ?
- ❏ J'organise une soirée chez moi après-demain, tu viens ?
- ❏ Tu aimerais passer deux jours à la montagne ?

**8.** Ah non ! pas question, je déteste ce réalisateur !
- ❏ Si on allait voir le dernier film de Godard ?
- ❏ On pourrait aller au théâtre.
- ❏ Allez, ce soir je t'emmène au restaurant.

## 3) Proposer / répondre

**Faites correspondre des propositions et des réponses possibles :**

**1.** On va au cinéma ce soir ?

**2.** Je t'emmène manger du poisson dans un bon restaurant.

**3.** On pourrait déjeuner ensemble la semaine prochaine ?

**4.** J'ai deux billets pour le concert de Souchon, ça t'intéresse ?

**5.** On va passer le week-end à Deauville ?

**6.** On peut aller dîner ensemble vendredi soir.

**7.** Vous venez prendre l'apéritif à la maison ?

**8.** Vous êtes libre à midi, nous pourrions déjeuner ensemble ?

**a.** Vendredi, c'est difficile, je pars très tôt à Paris samedi. La semaine suivante si vous voulez.

**b.** Je regrette, la semaine prochaine, je serai à Rome.

**c.** Désolée, aujourd'hui, je ne suis pas libre.

**d.** Oui, pour quel jour ?

**e.** C'est une bonne idée, je n'y suis jamais allé.

**f.** D'accord pour le restaurant, mais je n'aime pas le poisson.

**g.** Excusez-moi mais ce soir je suis très pressé, je vais chercher ma voiture au garage.

**h.** Oui, si tu veux. Qu'est-ce qu'il y a de bien à voir ?

| 1 | 2 | 3 | 4 | 5 | 6 | 7 | 8 |
|---|---|---|---|---|---|---|---|
|   |   |   |   |   |   |   |   |

## 4) Proposer / accepter / refuser

**Écoutez l'enregistrement et dites si la personne accepte ou refuse la proposition :**

|   | Accepte | Refuse |
|---|---------|--------|
| 1 |         |        |
| 2 |         |        |
| 3 |         |        |
| 4 |         |        |
| 5 |         |        |
| 6 |         |        |
| 7 |         |        |
| 8 |         |        |

## 5) Orthographe : la / là / l'a / l'as

**a) Complétez les phrases avec** *la / là / l'a / l'as* **:**

**1.** – Tu ............. vu, René, aujourd'hui ?
   – Ah non ! René, aujourd'hui, il n'est pas là. Il est à un congrès à Strasbourg.

**2.** – Vous n'avez pas vu mes clés ? Elles étaient ............., sur la table, il y a un instant.
   – Ah non ! je ne les ai pas vues.

**3.** – Je vais te présenter Odette. Je ............. connais bien.
   – D'accord.

**4.** – Florence a passé son concours d'entrée dans une école d'ingénieurs et elle .............
   brillamment réussi.
   – Bravo ! Je suis content pour elle.

**5.** – Alors, tu as une nouvelle voiture ? Montre-............. moi.
   – Viens, elle est sur le parking.

**6.** – Tu es au courant, pour Régine ? On ............. nommée chef de service.
   – C'est bien, pour elle.

**7.** – Vous voyez, ici c'est la cuisine et ............., ............. salle à manger.
   – Très bien, très bien. C'est confortable.

**8.** – Tu as vu tante Annie ? Tu ............. remerciée pour ton cadeau d'anniversaire ?
   – Oui, maman.

**b) Pouvez-vous énoncer une règle ?**

.................................................................................................................................................
.................................................................................................................................................


## 6) Orthographe : finales en *-er / -ez / -é / -ai / -ais / -ait*

**Complétez avec** *er / ez / é / ai / ais / ait* **:**

**1.** Elle a longtemps travaill............. à Bangkok.

**2.** Est-ce que vous pourri............. m'aid............. ?

**3.** Désol............., monsieur, vous ne pouv............. pas entr............. . C'est un lieu priv............. .

**4.** Si vous voul............., je reviendr............. demain.

**5.** C'est parf............. .

**6.** Je connaiss............. ton numéro de téléphone, mais je l'ai oubli............. .

**7.** À cette époque, Antoine aim............. bien voyag............. : il a explor............. le monde
   enti............. .

**8.** Pass............. avant midi : je ser............. à la maison.

**9.** Tu ser............. d'accord pour m'accompagner à Lyon ? J'y v............. la semaine prochaine.

## 7 Intonation : enthousiasme / ironie

Écoutez et dites si l'intonation exprime l'enthousiasme ou l'ironie :

|  | Enthousiasme | Ironie |
|---|---|---|
| 1 |  |  |
| 2 |  |  |
| 3 |  |  |
| 4 |  |  |
| 5 |  |  |
| 6 |  |  |
| 7 |  |  |
| 8 |  |  |

## 8 Familles de mots

**Complétez les phrases en choisissant le mot qui convient :**

**1.** Il n'était vraiment pas content, il lui a parlé avec …………..……..……… .
(gentillesse / sévérité / amabilité)

**2.** Il est bien élevé, il l'a mis à la porte …………..……..……..…… .
(poliment / grossièrement / méchamment)

**3.** Quelle …………..……..……..…… ! Il ne dit jamais ce qu'il pense.
(franchise / courtoisie / hypocrisie)

**4.** Elle était très émue, elle m'a parlé avec beaucoup de …………..……..……..…… .
(méchanceté / gentillesse / grossièreté)

**5.** Avec elle, il n'y a jamais de problèmes, elle est vraiment…………..……..……..…… .
(impolie / franche / hypocrite)

**6.** Dans cette situation, il ne faut pas céder, il faut être …………..……..……..…… .
(courtois / ferme / gentil)

**7.** Je vous remercie de m'avoir aidé, vous êtes très …………..……..……..…… .
(aimable / méchante / autoritaire)

**8.** Ces élèves sont difficiles, je vous conseille d'être très …………..……..……..…… au début.
(impoli / sévère / grossier)

## 9 Chronologie

**Complétez avec des expressions ou des verbes qui indiquent la chronologie :**

**1.** Je vous propose de …………..……..……… par une salade au saumon, de …………..……..……… par une escalope de veau aux morilles et de …………..……..……… par une tarte aux cerises.

**2.** ............................... du cours, je vous expliquerai le thème de cette séance, ............................... vous ferez un travail par petits groupes et ............................... nous ferons une synthèse de vos travaux.

**3.** Pour enregistrer, placez ............................... une cassette dans le magnétoscope, allumez-le, choisissez ............................... la chaîne et l'horaire. Appuyez ............................... sur le bouton qui se trouve complètement à droite.

**4.** Allez les enfants, ............................... vos devoirs. ..............................., je vous donnerai un goûter et ............................... nous irons faire une promenade dans le parc.

**5.** Ce que je vais faire ce matin ? ..............................., je vais passer à la banque, ..............................., je vais faire les courses et ..............................., je vais aller chercher les enfants à l'école.

## 10) Expressions imagées

**Choisissez une des deux propositions pour donner le sens des expressions qui suivent :**

**1.** Passer de la pommade à quelqu'un.
❏ Soigner quelqu'un.
❏ Être flatteur avec quelqu'un.

**2.** Ce ne sont pas mes oignons.
❏ Je ne sais pas faire la cuisine.
❏ Cela ne me concerne pas.

**3.** Voir le bout du tunnel.
❏ Être sorti d'une situation difficile.
❏ Terminer un voyage.

**4.** Mener quelqu'un en bateau.
❏ Proposer une croisière à quelqu'un.
❏ Faire croire quelque chose de faux à quelqu'un.

**5.** Ne pas pouvoir être au four et au moulin.
❏ Ne pas vouloir être boulanger.
❏ Ne pas pouvoir faire deux choses à la fois.

**6.** Chercher midi à quatorze heures.
❏ Ne pas avoir d'horaire.
❏ Trouver des explications complexes ou bizarres.

**7.** Passer du coq à l'âne.
❏ Passer brusquement d'un sujet de conversation à un autre.
❏ Apprécier la campagne.

**8.** Il tombe des cordes.
❏ Il pleut beaucoup.
❏ Il se produit quelque chose d'extraordinaire.

## 11) Écrit : lettre

**Rédigez une courte lettre en choisissant une des situations proposées :**

**1.** Vous écrivez à un(e) ami(e) pour lui expliquer que vous ne pourrez pas assister à son mariage.

**2.** Vous écrivez à un(e) ami(e) pour lui expliquer que vous ne pourrez pas partir en vacances comme prévu.

**3.** Vous écrivez à un(e) ami(e) pour lui expliquer que vous ne pourrez pas l'aider à préparer son examen comme vous le lui aviez dit.

..............................................................................................................................
..............................................................................................................................
..............................................................................................................................
..............................................................................................................................
..............................................................................................................................
..............................................................................................................................
..............................................................................................................................

## Parcours 1

### Séquence 1

**Page 6**

**1) Intonation**

1. Elle vient, Hélène, c'est sûr ?
2. Il fait froid le matin.
3. Pierre, il est médecin ?
4. Jacques, vous habitez à Paris ?
5. Vous êtes américain, vous avez 23 ans, vous vous appelez John.
6. Vous êtes américain ? Vous avez 23 ans ? Vous vous appelez John ?
7. Pierre, il est médecin.
8. Elle vient, Hélène, c'est sûr.

**Page 6**

**2) Intonation**

1. Elle est partie ?
2. C'est possible.
3. Alain, il est intelligent.
4. Vous êtes sûr ?
5. Ah ! c'est une bonne nouvelle.
6. À demain ?
7. Tu es belge ?
8. C'est M. Simon.
9. C'est la pharmacie Bonaventure ?
10. Vous êtes à Paris.

**Page 7**

**3) Phonétique : [y] / [u]**

1. Il fait tout noir.
2. Tu as acheté du pain.
3. Ton pull, il est très doux.
4. Tu es vraiment dure avec lui.
5. Quel sourire !
6. Elle n'est jamais sûre d'être à l'heure.
7. Vous avez vu le dernier film de Tavernier ?
8. Avec vous, tout est difficile.
9. On va courir ?
10. Mario ? Il fait une cure à Vichy.

**Page 8**

**7) Présentation**

– Bonjour. Vous vous appelez comment ?
– Zarouali Ahmed.
– Excusez-moi... Votre prénom, c'est Ahmed ou Mohammed ?

– Ahmed, Ahmed...
– Merci. Vous êtes français ?
– Non, je suis algérien. Je viens de Bejaïa.
– Vous travaillez en France ?
– Oui, je suis lecteur à l'université de Provence. Et je suis aussi journaliste, correspondant de presse pour le journal *El Watan*.
– Vous êtes marié.
– Oui, je suis marié.
– Et vous habitez où ?
– J'habite 64, rue du Vieux-Port, à Marseille.
– Merci, monsieur.

**Page 8**

**8) Indicateurs de temps**

1. Et maintenant, le journal télévisé de 20 heures.
2. Je te téléphone à 3 heures.
3. Les cafés ferment à 1 heure.
4. Bonjour, vous êtes sur France-Inter, il est 7 heures.
5. Le secrétariat est ouvert de 10 heures à midi.
6. Vous pouvez passer entre 17 et 18 heures.
7. Paul, lève-toi, il est 7 heures et demie.
8. Viens manger au restaurant avec nous, on se retrouve à 8 heures et demie.

**Page 9**

**9) Masculin / féminin**

1. Dominique est boulangère.
2. Son frère est architecte.
3. Tu connais Andrée ?
4. Appelle un médecin.
5. Mon professeur est suisse.
6. J'ai un ami italien.
7. Ma sœur est institutrice.
8. Frédéric est sympathique.

### Séquence 2

**Page 12**

**3) Professions**

1. – Je voudrais une baguette et deux croissants.
   – Voilà. Merci.
2. Ma voiture démarre mal. Vous pouvez faire une révision, elle a 70 000 kilomètres ?

3. Vous êtes sur le répondeur du cabinet médical. Pour prendre rendez-vous, vous pouvez appeler du lundi au vendredi de 10 h à 12 h et de 14 h à 16 h.
4. Madame, vous voulez essayer ce modèle ? Nous avons ce tailleur en noir ou en vert.
5. Voilà, tu installes ce programme, tu cliques sur « démarrer » et tu peux lire le cédérom.
6. Et deux cafés et un jus d'orange !
7. Pierre Clément, vous êtes ici pour nous parler de votre dernier film...
8. Vous présentez ce soir un reportage sur les dernières élections, vous êtes un spécialiste de la vie politique française.
9. J'ai des élèves de 15 ans, en général, ils aiment bien l'anglais.
10. C'est le dernier livre de Mario. Je l'ai lu, c'est très bien !

**Page 12**

**4) Chiffres et nombres**

1. J'ai 4 enfants et 9 petits-enfants.
2. Je te dois 400 euros.
3. Marseille, c'est à 600 kilomètres.
4. Voilà, ça fait 48 euros.
5. Tiens, le code de mon immeuble : 45 67.
6. Je te donne le numéro de téléphone d'Hélène : 00 301 34 78 546. Attends, je répète : 00 301 34 78 546.
7. Jacques, il a au moins 55 ans.
8. Au troisième top, il sera exactement 13 heures 28 minutes.
9. Dans sa classe, il y a 34 élèves.
10. Je connais Alain depuis 1984.

**Page 12**

**5) Masculin / féminin**

1. Cali, c'est une ville colombienne.
2. Il parle espagnol.
3. Maria, c'est une amie espagnole.
4. Tsarouchis, c'est un peintre grec.
5. Je regarde un film américain.
6. J'aime bien la cuisine grecque.
7. La fille de Jean-Paul, elle travaille dans une entreprise suisse.
8. J'ai un ami togolais.
9. Alvaro, il est colombien, il est professeur.

10. Je lis le roman d'un écrivain belge, je ne sais plus son nom...
11. J'ai acheté une vieille voiture américaine, géniale.
12. Sa femme, elle est togolaise.
13. Le gruyère, c'est un fromage suisse.
14. Tu connais une ville belge au bord de la mer ?

## Page 13

### 6) Intonation

1. Jérémie parle anglais ?
2. C'est loin, la gare !
3. Adana, c'est en Turquie.
4. Adeline habite dans cette rue ?
5. Ça coûte cher !
6. Il est déjà 11 heures et demie !
7. Delacroix, c'est un peintre français.
8. Et vous, vous connaissez bien Françoise ?

## Page 14

### 8) Phonétique : un / une

1. Claudia, c'est une amie allemande.
2. Il est une heure et demie.
3. Monsieur et Madame Dutilleul ont un petit garçon.
4. Une bière, s'il vous plaît !
5. Ça coûte un euro cinquante.
6. Ernesto ? C'est un étudiant portugais.
7. Je prends un menu à 22 euros.
8. Je connais un bon restaurant près d'ici.

## Page 14

### 9) Masculin / féminin

1. Gérald est mécanicien.
2. Je te présente mon professeur d'anglais.
3. Dominique est clown dans un cirque.
4. Virginie ? Elle est maintenant secrétaire de direction.
5. Bonjour, madame la ministre.
6. Bruno est médecin à Médecins Sans Frontières.
7. Ma sœur Luce est vendeuse dans un grand magasin.
8. Raphaël ? Il habite à Grenoble.

## Page 15

### 11) Un / une / du / de la

1. – Qu'est-ce que vous avez comme plat du jour ?
   – Ah! aujourd'hui, vendredi, c'est du poisson : de la sole au four.
   – D'accord, une sole au four.
   – Une entrée ?
   – Oui, je voudrais une salade de saison.
   – Et comme boisson ?
   – Un quart de vin blanc.
2. – Bonjour. Vous avez choisi ?
   – Oui, je voudrais un quart de poulet grillé et une salade verte.
   – Comme boisson ?
   – Une eau minérale.
   – Plate ou gazeuse ?
   – Gazeuse.
3. – Je prends le menu à 11 euros.
   – Oui, monsieur, je vous écoute.
   – Alors, un œuf mayonnaise, une entrecôte et une tarte aux pommes comme dessert.
   – Boisson ?
   – Une bière.
   – Blonde ou brune ?
   – Blonde, s'il vous plaît.

## Page 16

### 14) Nombres

1. – Ton anniversaire, c'est le 26 octobre ?
   – Non, le 19 octobre.
2. – Vous me donnez votre numéro de téléphone ?
   – Oui, c'est le 04 82 67 29 46.
3. – Vous êtes combien, dans ta classe ?
   – Nous sommes 25.
4. – Il est quelle heure, s'il te plaît ?
   – 10 heures 20.
5. – Qu'est-ce que c'est, l'indicatif téléphonique de la Grèce ?
   – C'est le 30.
6. – Tu habites loin ?
   – À 45 kilomètres.
7. – Tu as une réservation ?
   – Oui, c'est la place 74 dans la voiture 12.
8. – Demain, je suis au bureau. Appelez-moi.
   – Votre numéro, c'est bien le 03 81 66 47 21 ?

## Page 17

### 15) Singulier / pluriel

1. Elles habitent au centre-ville.
2. Il téléphone à la banque.
3. Est-ce qu'il connaît bien la ville ?
4. Elle voudrait un ticket de métro.
5. Ils connaissent bien ma sœur Pauline.
6. Combien ils sont ?
7. Ils mangent au restaurant à midi.
8. Elle connaît l'allemand.

**Séquence 3**

## Page 19

### 1) Intonation

1. **a.** Vous savez, vous pouvez payer par chèque.
   **b.** Je peux payer par chèque ?
2. **a.** Excusez-moi. C'est ma place.
   **b.** Excusez-moi. C'est votre place ?
3. **a.** Pardon, c'est votre journal ?
   **b.** Pardon, c'est mon livre.
4. **a.** Il y a du jambon, dans le frigo ?
   **b.** Dans le frigo, il y a du poulet à la sauce provençale.
5. **a.** Toi, tu veux encore du gâteau...
   **b.** Vous voulez encore du café ?
6. **a.** Vous avez plus de 26 ans ?
   **b.** Il n'a plus 20 ans...
7. **a.** C'est vrai : les Français mangent des escargots.
   **b.** C'est vrai que les Français mangent des grenouilles ?

## Page 19

### 2) Présentation

1. Je m'appelle Jacques Parisi. J'ai 40 ans. Je suis né à Paris. J'habite à Toulouse, rue des Rosiers. Je suis commercial dans une entreprise de machines-outils. Je suis marié. Je vous donne mon téléphone : 06 57 44 33 21.
2. – Vous vous appelez comment ?
   – Anne Dupond.
   – Vous êtes médecin ?
   – Non, pharmacienne.
   – Vous avez quel âge ?
   – 40 ans.
   – Vous habitez où ?
   – À Nice.

– Vous êtes mariée ?
– Non, divorcée.
– Votre numéro de téléphone ?
– 04 33 78 65 31.

## Page 22
### 10) Positif / négatif

1. – C'est bon ?
   – C'est super !
2. – Tu connais Roger ?
   – Il est insupportable.
3. – Tu connais Martine ?
   – Elle est très sympa.
4. J'ai rencontré Paulette Beaujolais, elle est formidable !
5. *Mon Oncle d'Amérique*, quel beau film !
6. Ce livre, il est nul !
7. Je suis allé à Vaison-la-Romaine, c'est chouette.
8. – Tu le trouves comment, le couscous de Jean ?
   – Bof ! Pas génial.

## Page 22
### 11) De / du / de la / des

Lise : – Qu'est-ce que vous prenez ? Moi, j'aime le poisson, mais je ne mange jamais de crevettes, ni de fromage.
Omar : – J'ai envie de viande, du bœuf. En entrée je ne sais pas, je voudrais de la salade, peut-être les crudités. Je ne prends pas de dessert, je fais un petit régime.
Paul : – Moi, je voudrais un plat exotique, le curry c'est excellent ; des crudités, du jambon, j'en mange tous les jours, et je veux un dessert, une glace.
Lise : – On a tous choisi !

**Séquence 4**

## Page 25
### 2) Exprimer une demande

1. – S'il te plaît, tu peux me prêter un pull ? J'ai froid.
   – Ah ! mon vieux, à la montagne les soirées sont fraîches... Tiens.
   – Merci.

2. – Pardon, monsieur, je peux prendre la moutarde ?
   – Oui, bien sûr. Voilà.
   – Je vous remercie.
3. – Mademoiselle, s'il vous plaît, je cherche la rue des Frères Lumière.
   – Excusez-moi, je ne sais pas... Je ne suis pas d'ici.
   – Tant pis. Merci.
4. – Bonsoir. C'est pour manger... Nous sommes deux.
   – Vous avez réservé ?
   – Non.
   – Je suis désolé, monsieur, nous sommes complets ce soir.
   – Ah ! Au revoir.
   – Au revoir, madame. Au revoir, monsieur.
5. – Chéri, tu peux me donner mon sac ? Il est dans l'entrée.
   – Voilà, voilà ! Tout de suite !
   – Merci. C'est gentil.
6. – Deux places pour *Les Cavaliers*.
   – Je suis désolé, madame. C'est complet. La salle est pleine.
   – Il y a une autre séance ce soir ?
   – Oui, à 22 h 20.
   – Ah ! non. Ça fait trop tard.

## Page 30
### 10) Caractériser

1. – Qu'est-ce qu'il y a au cinéma ?
   – Un film de Chabrol, je crois.
2. – Qu'est-ce que tu fais ce soir ?
   – Je vais danser.
   – Où ?
   – Au Grand Kursaal.
3. – Tu viens avec nous ?
   – Où ?
   – À un spectacle de théâtre et de danse.
4. – On mange ensemble, ce soir ?
   – Non, je vais à un spectacle de chansons françaises. Viens avec moi.
   – C'est où ?
   – À La Bouloie.

## Page 31
### 11) Phonétique : [s] / [z]

1. Suzette et Suzon, c'est dans une chanson.
2. *Zazie dans le métro*, voilà un livre amusant !
3. *Sous le ciel de Paris*, c'est une vieille chanson.

4. Arsène Lupin, c'est un personnage de roman.
5. Tu connais Zinedine Zidane ?
6. MC Solaar, c'est un chanteur de rap.
7. Le Clézio est un bon écrivain.
8. Cosette, c'est un personnage des *Misérables*.
9. *C'est si bon*, je connais cette chanson.
10. Zorro est arrivé.

## Page 32
### 15) Liaisons

1. Je veu**x u**ne tarte aux pommes.
2. Il**s ai**ment beaucoup le cinéma.
3. Me**s a**mis arrivent demain.
4. Attendez ! Je fai**s u**ne photo.
5. Pierre est en vacances au**x î**les Galapagos.
6. Je reviens dan**s u**ne heure.
7. Vous ave**z un** euro, s'il vous plaît ? C'est pour le parcmètre.
8. Tu habite**s où** ?
9. Il y a de**s y**aourts dans le frigo.

## Page 32
### 16) Liaisons

1. Nous vivons **en I**talie.
2. J'ai **un a**mi espagnol qui habite à Séville.
3. Tu veux du **vin ou** du jus de fruits ?
4. Il s'appelle Lé**on Au**bert.
5. Je n'ai ri**en en**tendu !
6. Nous habitons dans **un imm**euble de la place Marulaz.
7. Je voudrais du p**ain a**vec du fromage.
8. C'est quand, s**on a**nniversaire ?

## Page 32
### 17) Liaisons

1. Elles son**t a**llemandes.
2. Où est-ce qu'il es**t, A**lain ?
3. Ils viven**t en** Provence.
4. J'ai acheté un pantalon e**t un**e chemise.
5. Peter es**t au**stralien.
6. C'est **un** garçon sympathique.
7. Il fait **un** doctorat en médecine.
8. Ils habiten**t en** France depuis deux ans.

**Parcours 2**

**Séquence 5**

## Page 36

### 1) Caractériser un objet

**1.** – Vous pouvez me conseiller un roman ?
– Quel genre de roman ?
– Oh! un roman policier, par exemple.

**2.** – Vous l'avez lu, ce roman ?
– Ah! oui, c'est un roman passionnant.

**3.** – Vous auriez un roman de Thierry Jonquet ?
– Oui, tenez : c'est son dernier roman.

**4.** – Vous connaissez l'intrigue de ce roman ?
– Oui, c'est un roman à suspense.

**5.** – Et celui-là, vous le connaissez ?
– Oh! c'est un roman pour l'été.

**6.** – Tu as lu le dernier Jonquet ?
– Ah! oui, ce roman est fabuleux.

**7.** – Je voudrais un livre.
– Prenez ce roman. C'est un vrai bonheur. C'est le roman de l'été.

**8.** – Il est bien, ton roman ?
– Oui, c'est un grand roman.

## Page 37

### 5) Caractériser une personne

**Portrait 1**
Sandrine, c'est la fille aux cheveux longs et aux lunettes noires. Elle porte un jean et un pull-over bleu. C'est une fille qui a 26 ans et qui mesure 1,76 m. Elle porte aussi des sandales bleues en plastique.

**Portrait 2**
Aline ? C'est une blonde aux yeux bleus. Elle est âgée de 36 ans et mesure 1,70 m. Tu vois, c'est la fille qui porte un tailleur bleu. Elle a des chaussures en cuir.

**Portrait 3**
Rosine, c'est la fille aux yeux verts et aux cheveux blonds qui porte un pull-over bleu. Elle a des sandales et un sac à main assortis. C'est une fille de 26 ans qui mesure 1,70 m.

## Page 38

### 6) Professions

**1.** C'est un homme qui apporte le courrier.
**2.** C'est un homme qui vend de la viande.
**3.** C'est une femme qui apprend à lire aux petits enfants.
**4.** C'est un homme qui répare les voitures.
**5.** C'est un homme qui dessine les plans des maisons.
**6.** C'est une femme qui travaille dans un hôpital.
**7.** C'est une femme qui joue dans des films.
**8.** C'est un homme qui soigne les dents.
**9.** C'est un homme qui fait de la musique.
**10.** C'est un homme qui répare les appareils électriques.
**11.** C'est un homme qui travaille dans un journal.
**12.** C'est un homme qui fait visiter un musée.

## Page 38

### 7) Caractériser un lieu

**1.** C'est une ville du Sud-Ouest qui compte 53 000 habitants.
**2.** C'est une ville qui est située au nord de la France et qui a à peu près 180 000 habitants.
**3.** C'est une grande ville qui est au bord de la mer, au sud de la France.
**4.** C'est une petite ville du Sud qui est célèbre à cause de Georges Brassens et Paul Valéry.
**5.** C'est un port qui est situé au sud-est de la Corse.
**6.** C'est une ville de 120 000 habitants qui est la ville natale de Victor Hugo.
**7.** C'est une ville qui est située au centre de l'Espagne. C'est la capitale.
**8.** C'est la ville qui a un monument original : le mur des *Je t'aime*.

## Page 38

### 8) Caractériser une personne

– Dis, Alain, tu les connais tous, les membres du bureau de l'association ?
– Oui, le président, c'est le petit brun, celui qui a des lunettes, à côté de la grande fille aux cheveux longs.

– Et elle, qui est-ce ?
– C'est la secrétaire générale, celle qui s'occupe des formalités administratives.
– Et le gros monsieur, celui qui est au bout de la table ?
– C'est le trésorier, c'est celui qui s'occupe des comptes de l'association.
– Et en face de lui, qui est-ce ?
– C'est le vice-président.
– Et la dame aux cheveux frisés qui est à la droite du président ?
– C'est l'autre vice-présidente.
– La vice-présidente, c'est celle qui remplace le président quand il n'est pas là ?
– Oui, c'est ça.

## Page 40

### 12) Phonétique : [p] / [b]

**1.** Tu veux une bière, Pierre ?
**2.** C'est Paul.
**3.** Il y a une pierre bleue !
**4.** Allez, partez !
**5.** Je t'embrasse.
**6.** Qu'est-ce que c'est bon !
**7.** C'est une bonne publicité.
**8.** Bonjour, Babette.
**9.** Tu peux partir.
**10.** Je suis au bord de la mer.

 **Séquence 6**

## Page 45

### 7) Phonétique : [f] / [v]

**1.** Il faut partir.
**2.** C'est le facteur !
**3.** Je voudrais du veau et des frites.
**4.** C'est vraiment nul !
**5.** Mais c'est facile !
**6.** Tu veux de la feta ?
**7.** Qu'est-ce que vous voulez ?
**8.** Je viens du Venezuela.
**9.** Vous avez du feu, s'il vous plaît ?
**10.** Faites la fête !
**11.** Regarde les vagues !
**12.** Qu'est-ce que vous faites dans la vie ?
**13.** Vous vouvoyez votre mère ?
**14.** Vas-y, fais un effort !
**15.** Vous êtes fou !

## Page 45

### 8) Intonation positive ou négative

1. Excellent, ce repas !
2. Cette fille ne m'intéresse pas.
3. C'est pas mal du tout.
4. C'est vraiment moyen, votre travail.
5. Vous avez de la chance.
6. C'est très facile !
7. C'est intelligent !
8. Il est tellement gentil !
9. C'est très original !

**Séquence 7**

## Page 49

### 1) L'heure

1. Moi, je me lève vers midi.
2. Je travaille à 9 heures cette semaine.
3. On se retrouve à 6 heures ce soir.
4. Mon train part à 6 heures du matin.
5. Je finis à 5 heures et demie.
6. J'ai rendez-vous chez le coiffeur à 1 heure moins le quart.
7. Il faut aller dîner avant 10 heures.
8. Je t'attends demain matin au café du Théâtre à 8 heures et demie.

## Page 50

### 4) Rythme d'une journée

Le matin, je me lève vers 10 heures. Je prends mon petit déjeuner. À 11 heures, je prends un bain. Vers midi, je vais faire les courses. Je déjeune vers 3 heures. Je téléphone à mes amis entre 4 heures et 6 heures et je règle les problèmes quotidiens. Je prends un peu de temps libre et à 8 heures du soir j'arrive au théâtre. Je répète un peu et je me prépare. À 9 heures, c'est le spectacle. Je sors épuisé à 11 heures et demie, je vais dîner et je rentre à la maison vers 2 heures du matin.

## Page 50

### 6) Passé / présent / futur

1. On a fait un beau voyage, on est allé en Italie.
2. Demain, je vais à Paris par le premier train.
3. Ce week-end, je pars à Amsterdam.
4. Aujourd'hui, je travaille toute la journée.
5. Samedi dernier, je suis allée au cinéma.
6. Je ne connais pas Sabine.
7. Ce matin, j'ai fait les courses.
8. Après-demain, je vais rencontrer Maria.
9. Marc, je l'ai rencontré il y a une semaine.
10. Prends ce livre, je l'ai terminé.

## Page 51

### 7) Phonétique : [k] / [g]

1. C'est un garçon sympa.
2. Je vais courir tous les matins.
3. C'est un animal gris au cou très long.
4. Tu viens avec moi au garage ?
5. C'est très gai, cette robe.
6. Regarde sur la carte si c'est la Garonne.
7. J'habite dans une grande ville.
8. Tu vas à la gare ?
9. Tu connais ma sœur, c'est la fille brune, à côté de Jules.
10. Le saumon est un poisson gras.

## Page 52

### 10) Tu / vous

1. Jean-Édouard, passez-moi le sel !
2. Tais-toi et mange !
3. Enchanté de vous connaître.
4. Madame, voici votre chambre.
5. Arrête de crier !
6. Jeanne, je t'envoie ça par courrier.
7. Bonjour, monsieur Martin.
8. À bientôt Paul, portez-vous bien.

## Page 52

### 11) Phonétique : [ã] / [ɛ̃]

1. C'est vraiment bien.
2. Tu veux du vin blanc ?
3. Tu vends ta voiture ?
4. C'est intéressant.
5. J'aime ces chants.
6. Qu'est-ce que tu veux comme entrée ?
7. Viens vite, le train est là !
8. Tu es toute blanche !
9. Ah ! c'est intelligent !
10. Je pars demain matin.

**Séquence 8**

## Page 54

### 1) Caractériser pour argumenter

1. – Tu vas à Paris comment ? En voiture ou en train ?
   – En train. Moi j'aime bien le train. C'est reposant et tu arrives en plein centre-ville, à la gare de Lyon.
2. – Tu connais Gérard ?
   – Oui, c'est un garçon formidable : il est sympa, dynamique, et en plus il a beaucoup d'humour.
3. – Il est bien, ton nouveau portable.
   – Super ! C'est une promotion de France Télécom : l'abonnement est de 14 euros par mois seulement, avec deux mois gratuits et tu peux aller sur Internet.
4. – Alors, chéri, comment tu me trouves dans ma nouvelle robe ?
   – Tu es superbe ! Et ce bleu pâle te va très bien.
5. – Comment tu la trouves, Claudine ?
   – Bof ! Elle a l'air sérieuse mais elle ne parle pas beaucoup. Elle est un peu triste, non ?
6. – On mange où ?
   – Je vous propose la pizzéria Chez Gino : le service est rapide, le patron est sympa et leurs pizzas sont délicieuses.
7. – Alors, cette nouvelle voiture ?
   – Ne m'en parle pas ! Elle est très petite mais elle me coûte très cher en essence.
8. – Elle est bonne, ta glace ?
   – Pas terrible : la crème Chantilly est trop sucrée.

## Page 56

### 6) Phonie / graphie : [e] / [ɛ]

1. L'été prochain, vous êtes en Grèce.
2. Charlotte a mangé chez sa mère.
3. René a épousé Pénélope.
4. Irène a arrêté de fumer.
5. Le père d'Étienne a téléphoné.
6. Le 21 juin, c'est le début de l'été et c'est la fête de la Musique.
7. Bonnes fêtes de fin d'année !
8. Andrée a mal à la tête.

# *T R A N S C R I P T I O N S*

## Page 57
### 11) Liaisons : les mots en *h*

1. C'est **un h**ôtel très confortable.
2. Mon appartement est **en h**aut de l'immeuble.
3. *Les Héros sont fatigués* : c'est le titre d'un film ?
4. Nous arrivons dans deu**x h**eures.
5. Les Vandame sont actuellement **en H**ollande.
6. Fabien et Laurent sont de**s h**ommes charmants.
7. Tu regardes to**n h**oroscope ?
8. Gyula et Jozsef son**t h**ongrois.

## Parcours 3

### Séquence 9

## Page 64
### 10) Participes passés

1. Cet hiver, il a beaucoup plu.
2. Vous avez vu les amis de Claire ?
3. Je n'ai pas pu finir mon travail.
4. Il a reçu une lettre de sa femme.
5. Quand il m'a annoncé la nouvelle, je ne l'ai pas cru.
6. Ce garçon m'a vraiment déçu.
7. Le candidat favori n'a pas été élu.
8. Qu'est-ce que vous avez bu ?

## Page 64
### 11) Participes passés

1. Vous avez compris ?
2. Il est parti ?
3. C'est fini ?
4. Qu'est-ce qu'il a dit ?
5. Vous avez pris le menu ?
6. J'ai promis.
7. Combien de temps tu as mis ?
8. Il est sorti.

### Séquence 10

## Page 65
### 1) Passé composé

1. – Tu as conduit la voiture chez le garagiste ?
– Oui. Il va faire la vidange et vérifier les freins.

2. – Tu as réservé une table pour ce soir ?
– Non, pas encore. Je vais le faire tout de suite.

3. – Je vous fais un paquet-cadeau ?
– Oui ; c'est pour offrir. Demain, c'est l'anniversaire de mon grand fils.

4. – Tu m'as pris rendez-vous chez le docteur Daudier ?
– Zut ! J'ai oublié. Excuse-moi.

5. – Tu as pensé à payer le loyer ?
– Non, mais je vais faire un chèque. Je le posterai demain matin.

6. – Allô ? Hôtel Hermès, bonjour.
– Bonjour, monsieur. Je voudrais réserver une chambre pour deux personnes pour la nuit de mardi à mercredi prochain, le 19 avril.

7. – Maman, tu m'as acheté un cahier pour les cours de dessin ?
– Désolée, mon chéri, je n'ai pas eu le temps de faire les courses.

8. – Est-ce que quelqu'un a pensé à téléphoner à Météo France pour avoir les prévisions pour le week-end ?
– Ah ! non, personne.

## Page 67
### 7) Rédiger un court message

1. – Allô ? Le docteur Roubin ?
– C'est sa secrétaire. Bonjour, monsieur.
– Bonjour. Je suis monsieur Tavigny. Écoutez, normalement, j'ai rendez-vous à 9 heures et quart lundi prochain. Mais j'ai un empêchement. Est-ce que je peux reporter ce rendez-vous à mercredi ?
– Attendez, je regarde ... Mercredi après-midi à 16 h 30, ça va ?
– C'est parfait. Je vous remercie.
– Alors, je note, mercredi 16 h 30. Au revoir, monsieur Tavigny.

2. – Allô, bonjour. C'est le garage des Alpes. Je suis bien chez monsieur Massot ?
– Je suis madame Massot.
– Votre mari doit passer prendre sa voiture ce soir, à 18 h 30, mais j'ai un problème de pièce. Le carburateur ne peut être là qu'après-demain.
– Attendez ... je note. Après-demain à quelle heure ?

– Votre mari peut passer vers midi. Il a notre numéro de téléphone, mais je vous le redonne. C'est le 03 57 22 43 43.
– Très bien. C'est noté.

3. – Restaurant de la Tour de la Pelote, bonsoir.
– Bonsoir, madame. J'ai réservé une table pour huit personnes, pour demain soir à 20 h 30.
– Oui.
– Finalement, nous sommes douze mais nous ne pouvons pas être à Voiron avant 21 h 15, à cause de la grève de la SNCF.
– Très bien. Je note ... demain soir ... douze personnes, à 21 h 15. C'est à quel nom ?
– Monsieur et madame Jonas.
– Parfait. C'est noté. À demain, madame Jonas.

4. – Agence Eco Voyages, bonjour.
– Bonjour, mademoiselle. Je voudrais parler à monsieur Jean-Paul Moreau.
– Il est sorti, mais je peux lui laisser un message, si vous voulez ...
– Voilà. Je suis monsieur Martinot. Finalement, je choisis la formule B, qu'il m'a proposée : le voyage au Guatemala, une semaine à 1 512 euros.
– Très bien, c'est noté, monsieur Martinot.

### Séquence 11

## Page 70
### 1) Demande

1. Les passagers en partance pour Rome sont priés de se présenter porte 11.
2. Je voudrais le menu avec une assiette de crudités et un steak frites.
3. Vous pourriez me dire à quelle heure part le dernier train pour Nantes ?
4. Chérie, passe-moi le journal et mon café.
5. Vous pouvez me déposer devant le cinéma ?
6. Deux cafés et un croissant, s'il vous plaît.
7. Le train 2 024 est annoncé quai n° 1. Dégagez la bordure du quai, s'il vous plaît.
8. Passeport, s'il vous plaît.

## Page 71
### 4) Le pronom *on*

1. Jacques, on t'appelle à l'accueil.
2. On voudrait deux jus d'orange.
3. Ici, en été, on vit dans la rue.
4. Tiens, on vient de m'offrir des chocolats.
5. On va au cinéma ce soir ?
6. On a gagné ! On a gagné !
7. Au Mexique, on mange beaucoup de piment.
8. On n'a rien compris.
9. Dans ce pays, on aime beaucoup le football.
10. Qu'est-ce qu'on mange ce soir ?

## Page 71
### 5) Les pronoms relatifs *qui / que*

1. C'est le plat que je préfère.
2. C'est un pays qui est très agréable.
3. J'ai vu quelqu'un que tu connais.
4. C'est un garçon qui est très intelligent.
5. C'est le pays d'Amérique centrale que je préfère.
6. Il y a un restaurant que j'aime bien à la sortie de la ville.
7. J'ai vu quelqu'un qui te connaît.
8. Vous avez le livre que j'ai commandé ?
9. Passe-moi le journal qui est à côté de toi.
10. Il y a un restaurant chinois qui vient d'ouvrir.

**Séquence 12**

## Page 75
### 1) Repérage de l'imparfait

1. – Tu parlais avec qui ?
   – Avec Évelyne.
2. – Ça y est ? Tu viens ?
   – Oui, oui, j'arrive.
3. – Tu étais où ?
   – Dans la cuisine.
4. – Ça fait longtemps que je ne t'ai pas vu !
   – J'ai été malade.
5. – Qu'est-ce que tu faisais à Hyères ?
   – Du ski nautique et de la planche à voile.
6. – Tu connais le nord de la France ?
   – J'ai habité plusieurs années à Dunkerque.

7. – Qu'est-ce qu'ils voulaient les voisins ?
   – Ils cherchent leur chat …
8. Ah !… J'avais soif !

## Page 77
### 6) Phonétique : [d] / [t]

1. Tu attends Jean ?
2. J'ai mal à la tête.
3. Henri déteste le tennis.
4. Toi, tais-toi !
5. Je connais bien Damien.
6. C'est une amie.
7. Denis m'a dit de faire ça.
8. Tu désires autre chose ?

## Page 77
### 7) Imparfait / passé composé

– Alors, Jean-Claude, ces vacances … C'était bien ?
– Super ! J'ai passé quinze jours en Grèce, du 2 au 17 juillet. C'était vraiment agréable.
– Qu'est-ce que tu as fait ?
– Ben, je suis arrivé le 2 au soir à Athènes. j'y suis resté deux jours.
– Et après ?
– Je suis allé dans le Péloponnèse.
– Tu y es resté longtemps ?
– Du 5 au 12 juillet. J'ai fait le circuit de la Grèce classique : Olympie, Mycènes, Épidaure, Sparte. C'était formidable.
– Et après, qu'est-ce que tu as fait ?
– J'ai passé deux jours à Delphes.
– Et la baignade, le soleil, la plage ?
– Ben après, j'ai fait deux jours de plage près de Corinthe. La mer était délicieuse. Et puis retour le 17, hier donc. Et ce matin, j'étais au boulot !

## Parcours 4

**Séquence 13**

## Page 80
### 1) Itinéraire

1. Pour aller à l'université, vous allez tout droit, vous prenez la deuxième à droite puis la première à gauche. Vous allez voir la

mairie. Vous passez devant puis vous tournez à droite et ensuite au feu à gauche.
2. Vous continuez cette rue et vous prenez la première à droite. Vous passez devant la poste et, au feu rouge, vous tournez à gauche. Vous continuez et vous laissez la mairie à votre gauche mais vous prenez la rue de la Mairie sur la droite. L'université se trouve dans la deuxième rue à gauche.
3. Vous tournez à gauche au premier carrefour puis vous prenez la première à droite. Vous allez voir un pont que vous ne traversez pas. Vous prenez à gauche et vous êtes en face de l'université.

## Page 80
### 2) Intonation

1. Tu peux me prêter ton téléphone portable ?
2. Tu vas t'arrêter !
3. Vous pourriez me déposer à la gare ?
4. Vous pourriez être plus aimable !
5. Tu m'appelles vers six heures ?
6. Appelez Dupond pour la réunion !
7. Vous auriez du feu ?
8. Vous avez tort !
9. Je voudrais un bouquet de roses.
10. Je voudrais que vous arrêtiez de faire du bruit !

## Page 83
### 7) Rédiger un programme

Marie-Christine : – Voilà, monsieur, j'ai le programme de votre voyage en Grèce. Vous partez samedi 5 à 11 h 30 par le vol Olympic Airlines 112.
M. Maréchal : – Oui, quel aéroport ?
Marie-Christine : – Orly Ouest. Vous arrivez à 14 h 40. M. Benoît vous attendra et vous emmènera à l'hôtel, c'est l'hôtel Grande-Bretagne. Vous aurez une réunion de travail avec lui et le soir un dîner à 22 heures avec nos partenaires grecs.
M. Maréchal : – À 22 heures ? C'est tard !
Marie-Christine : – Oui, mais ils ont fixé l'heure. Le lendemain, dimanche, vous serez libre pour vous reposer et visiter la ville.

M. Maréchal : – Très bien.

Marie-Christine : – Le lundi matin vous partez à 7 heures pour Thessalonique. En arrivant, vous visitez notre filiale ; le directeur sera à l'aéroport, il a organisé la journée. Vous revenez à Athènes le mardi matin, vous avez une réunion de bilan et vous reprenez l'avion à 15 heures pour Paris.

M. Maréchal : – Vous êtes très gentille, Marie-Christine, mais mettez tout par écrit, sinon ...

### Page 83
### 8) Mots interrogatifs

1. – Tu vas comment à Paris ?
   – En voiture.
2. – Quand est-ce qu'on fête tes 20 ans ?
   – Le 12 juillet.
3. – Tu gagnes combien ?
   – 1 500 euros par mois.
4. – C'est à quelle heure le premier train pour Roissy ?
   – À six heures moins dix.
5. – On se retrouve au Mungo Park, c'est un super resto.
   – C'est où ?
   – Place du Marché.
6. – Tu pars à quel moment en congés ?
   – Du 1er au 25 août.
7. – Une place pour *Absolument fabuleux*, c'est combien ?
   – 7 euros.
8. – Vous avez quel âge ?
   – 35 ans.

### Page 84
### 9) Horaires

Vous avez un train qui part à 6 h 55 de Besançon et qui arrive à Paris à 9 h 35, il est direct. Ensuite, départ de Besançon à 8 h 30, arrivée à Dijon à 9 h 35, 20 minutes d'attente, départ de Dijon à 9 h 55 et arrivée à Paris à 11 h 30. Vous avez aussi un train à 10 h 45, direct, qui arrive à Paris à 13 h 20.

Séquence 14

### Page 85
### 3) Donner des consignes

1. Postez votre lettre aujourd'hui même.

2. Placez le bulletin dans l'enveloppe ci-jointe.
3. Affranchissez l'enveloppe au tarif normal.
4. Recopiez sur votre bulletin de participation votre « numéro de la chance » à six chiffres.

Séquence 15

### Page 92
### 2) Futur

1. Tu pourrais m'accompagner à la gare ?
2. Je pourrai venir à 7 heures.
3. Vous aurez les papiers demain ?
4. Vous seriez d'accord pour samedi ?
5. Elle sera là à 7 heures.
6. Marc voudrait aller à Deauville.
7. Nous serons à la gare demain.
8. Je voudrais partir deux semaines si possible.
9. J'aurai le temps de faire ce travail demain.
10. Il voudra sûrement aller à Cannes.

### Page 94
### 5) Discours rapporté

1. Je travaille demain.
2. J'ai rencontré Aline.
3. Nous sommes allemands.
4. Il y aura du soleil demain.
5. Nous avons acheté une maison dans le Sud.
6. Je serai à Paris du 15 au 17 février.
7. J'ai appris l'anglais tout seul.
8. Nous sommes allées voir un film super.
9. J'ai gagné au loto.
10. Je cherche une voiture d'occasion pas trop chère.

### Page 95
### 6) Programme

Lundi, vous recevrez les responsables de notre filiale belge à 10 h. Vous irez déjeuner avec eux, j'ai réservé une table au restaurant Les Lilas. À 14 h 30, vous recevrez tous vos collaborateurs pour faire le bilan du mois écoulé.

Mardi matin, vous partirez pour Francfort. L'avion est à 10 h 15, le chauffeur passera vous prendre à 8 h 30. Vous rencontrerez M. Muller à 13 h. Vous reprendrez l'avion à 18 h et vous arriverez à 19 h 10 à Paris.

Mercredi, vous verrez les responsables du service export à 9 h et ensuite, Mme Martin vers 11 h. L'après-midi, vous n'avez pas de rendez-vous.

### Page 96
### 8) Intonation du reproche

1. Tu pourrais l'inviter à dîner.
2. Pars en vacances, cela te fera du bien.
3. Tu ne lui as pas téléphoné pour son anniversaire !
4. Tu ne travailles pas assez pour avoir ton examen.
5. Prenez plutôt le train pour aller à Paris.
6. Tu as regardé la télévision toute la journée !
7. Termine ton travail rapidement !
8. Tu n'as pas écrit à ton amie, ce n'est pas gentil !

### Page 96
### 9) CV

Pierre Malin : – Bonjour, madame.

La Directrice des Ressources Humaines : – Bonjour, monsieur, asseyez-vous. Vous avez 27 ans, je crois ?

Pierre Malin : – Oui.

La DRH : – Si vous voulez bien me parler de votre itinéraire ...

Pierre Malin : – Oui, alors après un bac en sciences économiques, j'ai fait une formation de deux ans en tourisme, un BTS. Je suis ensuite entré à Euro Voyages, à Lyon, au service clientèle ; j'y suis resté trois ans. Depuis un an et demi, depuis janvier 2000, je travaille dans la même agence à Paris. Je m'occupe du développement des circuits touristiques au Maghreb et en Afrique. Je souhaiterais changer d'activité et votre poste centré sur la communication me paraît très intéressant.

La DRH : – C'est un poste qui demande une grande disponibilité ...

Pierre Malin : – Oh ! vous savez, je suis célibataire …

La DRH : – Vous parlez des langues étrangères, je suppose ?

Pierre Malin : – Oui, parfaitement anglais, un peu espagnol et arabe …

## Page 96

### 10) Orthographe : le son [ã]

1. Il a seulement une fille.
2. Elle est vraiment très sympa.
3. Vous avez combien d'enfants ?
4. Il a acheté un appartement très grand.
5. Demain, il y aura beaucoup de vent sur la Bretagne.
6. Je voudrais un manteau.
7. Elle a trente-deux ans et lui quarante et un.
8. Elle prend des cours de chant.
9. Il vend sa moto.
10. C'est mon ancien appartement.

## Page 97

### 11) Messages

1. Allô, c'est Sylvie ? Ta maman n'est pas là ? Tu peux lui dire qu'elle me rappelle ? C'est Philippe, je suis au travail, c'est urgent.
2. Allô, bonjour, M. Legrand à l'appareil. Je sais que M. Leroux est en voyage mais pourriez-vous lui laisser un message pour qu'il m'envoie par fax le document dont il m'a parlé ? Je vous redonne le numéro : 04 65 76 98 43. Merci beaucoup.
3. Allô, Béatrice ? Jacques n'est pas là ? Est-ce que tu pourrais lui rappeler que nous avons rendez-vous demain à midi avec Henri au restaurant du Soleil ? Merci, bonne soirée.

4. Allô, bonjour, je voudrais parler à Marc. Ah ! il n'est pas là ? Vous pourriez lui laisser un message ? Voilà, pour s'inscrire au club de judo, il doit apporter un certificat médical, la fiche d'inscription remplie et 200 euros. Merci, au revoir.
5. Bonjour, madame, est-ce que M. Dufour est là ? Ah ! il est occupé. Je voudrais confirmer le rendez-vous qu'il m'a fixé, jeudi 19 à 8 heures et quart. Je suis Pascal Dubois. Je vous remercie de bien vouloir le prévenir. Au revoir, madame.

### Séquence 16

## Page 99

### 1) Phonie / graphie : [ã] / [ə]

1. Il ment.
2. Il est complètement fou.
3. Ils savent tout.
4. Vous pensez qu'il me croira ?
5. Elles achètent tout à Londres.
6. Cette fleur sent bon.
7. J'ai vendu mon appartement.
8. Ils partent à Paris.

## Page 100

### 4) Proposer / accepter / refuser

1. – On sort quelque part, demain soir ? C'est samedi …
   – Excuse-moi, je suis vraiment fatiguée. J'ai eu une semaine pénible.
2. – Tiens ! Si on passait dire bonjour aux Duvernois. Ça fait longtemps qu'on ne les a pas vus.
   – Bonne idée. On y va tout de suite.

3. – Allez, ce soir, je t'emmène au restaurant.
   – Avec plaisir. On va où ?
   – Eh bien, je t'offre le meilleur restaurant de la ville !
4. – Est-ce que tu voudrais m'accompagner à Paris le week-end prochain ? Je vais voir l'exposition Degas au Grand Palais.
   – Dimanche prochain … Ah zut ! Je ne peux pas, je suis à un congrès à Amsterdam.
   – Dommage. Ce sera pour une autre fois.
5. – Freddy, tu veux une glace ?
   – Oh oui ! Merci, Papa !
6. – Il est une heure et demie. Qu'est-ce qu'on fait ? On rentre ?
   – Oui, d'accord. C'est une soirée sympa, mais je suis vraiment « crevé ».
7. – Allez, Roseline, encore un peu de dessert … Tu reprendras ton régime demain.
   – Tu crois ? C'est tellement bon … Alors, un tout petit morceau.
8. – Je t'offre un autre café ?
   – Non, merci. Je m'en vais tout de suite, j'ai rendez-vous avec un client dans vingt minutes.

## Page 102

### 7) Intonation : enthousiasme / ironie

1. Ah ! là, tu as tout juste !
2. Il est super, ton tailleur !
3. Ce restaurant, il est vraiment bien …
4. Super, ton idée …
5. Extraordinaire, ce spectacle !
6. Très originale, ta tenue …
7. Génial, Marcel !
8. Facile, ce jeu …

# C O R R I G É S

## ◦ ◦ Parcours 1, p. 5 ◦ ◦

**Séquence 1** p. 6

### 1 Intonation, p. 6
Affirmation : 2. 5. 7. 8.
Question : 1. 3. 4. 6.

### 2 Intonation, p. 6
Affirmation : 2. 3. 5. 8. 10.
Question : 1. 4. 6. 7. 9.

### 3 Phonétique : [y] / [u], p. 7
[y] : 2. 4. 6. 7. 10.
[u] : 1. 5. 8. 9.
Les deux : 3.

### 4 Présentation, p. 7
Il s'appelle Martial Beauchamp, il habite à Valentigney, 27, rue d'Espagne. Il est garagiste. Il est né en 1963. Il est marié et il a deux enfants.

### 5 Présentation, p. 7
Elle s'appelle Anna Krakowska, elle habite à Varsovie, 65, avenue Frédéric-Chopin. Elle est étudiante. Elle est née en 1981 et elle est célibataire.

### 6 Poser une question, p. 8
**1.** Comment vous vous appelez ? / Comment est-ce que vous vous appelez ?
**2.** Vous êtes espagnole ?
**3.** Vous avez quel âge ? / Quel âge avez-vous ?
**4.** Vous travaillez ? / Est-ce que vous travaillez ?
**5.** Vous habitez où ? / Où est-ce que vous habitez ?

# CORRIGÉS

### 7) Présentation, p. 8
Nom : Zarouali.
Prénom : Ahmed.
Nationalité : algérienne.
Profession : lecteur à l'université et journaliste.
Situation familiale : marié.
Adresse en France : 64, rue du Vieux-Port, Marseille.

### 8) Indicateurs de temps, p. 8
Le matin : 4. 5. 7.      Le soir : 1. 8.
L'après-midi : 2. 6.      La nuit : 3.

### 9) Masculin / féminin, p. 9
Un homme : 2. 6. 8.
Une femme : 1. 3. 7.
On ne sait pas : 4. 5.

### 10) Dire où, p. 9
**1.** à.   **2.** au.   **3.** en.   **4.** à.   **5.** au.   **6.** en.   **7.** à / au.   **8.** en.   **9.** à.   **10.** en.

### 11) Il est / elle est, p. 9
**1.** Elle est.   **2.** Il est.   **3.** elle est.   **4.** Il est.   **5.** elle est.   **6.** Elle est.   **7.** Elle est.
**8.** Il est.

### 12) Orthographe : et / est, p. 10
**1.** est.   **2.** et.   **3.** est / et.   **4.** est / est.   **5.** Et.   **6.** et.   **7.** et.   **8.** est / et.

### 13) Orthographe : conjugaison, p. 10
**1.** habitons.   **2.** mangez.   **3.** parlent.   **4.** dors / lis.   **5.** téléphone.   **6.** écoutez.   **7.** s'appelle.

## Séquence 2  p. 11

### 1) Questions / réponses, p. 11

| 1 | 2 | 3 | 4 | 5 | 6 | 7 | 8 | 9 | 10 |
|---|---|---|---|---|---|---|---|---|---|
| e | f | b | g | i | h | a | j | c | d |

### 2) Présentation, p. 11
**1.** Julie Laceur, c'est une chanteuse québécoise, elle a 24 ans, elle est célibataire.
**2.** Jack Creg, c'est un informaticien américain, il a 32 ans, il est marié et il a deux enfants.
**3.** Maria Luisa Laserra, c'est une professeur espagnole, elle a 30 ans, elle est mariée.
**4.** Yoko Tanaka, c'est une étudiante japonaise, elle a 20 ans, elle est célibataire.
**5.** Yorgos Vassilikos, c'est un architecte grec, il a 59 ans, il est marié, il a trois enfants.

**Note sur le féminin / masculin des noms de professions** : en français de France, certains noms de professions n'ont pas de forme spécifique au féminin. C'est le cas de *professeur*, mais on peut l'utiliser avec *un* ou *une* et *mon* ou *ma*.

# CORRIGÉS

## 3) Professions, p. 12

| | | | | | |
|---|---|---|---|---|---|
| Informaticien | → | Enr. n° 5 | Serveur | → | Enr. n° 6 |
| Écrivain | → | Enr. n° 10 | Garagiste | → | Enr. n° 2 |
| Médecin | → | Enr. n° 3 | Vendeuse | → | Enr. n° 4 |
| Boulanger | → | Enr. n° 1 | Journaliste | → | Enr. n° 8 |
| Professeur d'anglais | → | Enr. n° 9 | Acteur | → | Enr. n° 7 |

## 4) Chiffres et nombres, p. 12

**1.** 4 / 9.   **2.** 400.   **3.** 600.   **4.** 48.   **5.** 45 67.   **6.** 00 301 34 78 546.   **7.** 55.   **8.** 13 h 28.
**9.** 34.   **10.** 1984.

## 5) Masculin / féminin, p. 12

| | Identiques au masculin et au féminin | | Différents au masculin et au féminin | |
|---|---|---|---|---|
| | à l'oral | à l'écrit | à l'oral | à l'écrit |
| Belge | X | X | | |
| Américain | | | X | X |
| Espagnol | X | | | X |
| Suisse | X | X | | |
| Grec | X | | | X |
| Togolais | | | X | X |
| Colombien | | | X | X |

## 6) Intonation, p. 13

Demande d'information : 1. 4. 8.     Affirmation : 2. 3. 5. 6. 7.

## 7) C'est / c'est un / c'est une, p. 13

**1.** C'est Frida Kalho.
**2.** C'est un vin grec.
**3.** C'est un plat brésilien.
**4.** C'est un écrivain russe.
**5.** C'est un fromage français.
**6.** C'est une peintre mexicaine.
**7.** C'est un peintre hollandais.
**8.** C'est en Suisse.

## 8) Phonétique : un / une, p. 14

Un : 3. 5. 6. 7. 8.     Une : 1. 2. 4.

## 9) Masculin / féminin, p. 14

Un homme : 1. 6. 8.     Une femme : 4. 5. 7.     On ne sait pas : 2. 3.

## 10) Un / une, p. 15

**1.** un / une.   **2.** une / un.   **3.** un.   **4.** un / un.   **5.** une.   **6.** un.   **7.** une.   **8.** un.

## 11) Un / une / du / de la, p. 15

Menu A   → Dial. n° 2.     Menu B   → Dial. n° 3.     Menu C   → Dial. n° 1.

## 12 Du / de la / de l' / des, p. 15

**1.** de la / du. **2.** de la / des. **3.** du. **4.** du / de la / de l'. **5.** du. **6.** du. **7.** des. **8.** de la.

## 13 Mon / ma / mes / ton / ta / tes / votre / vos, p. 16

**1.** mon. **2.** ma. **3.** mes. **4.** vos. **5.** votre. **6.** ta. **7.** ton. **8.** tes.

## 14 Nombres, p. 16

**1.** 26 / 19. **2.** 04 82 67 29 46. **3.** 25. **4.** 10 h 20. **5.** 30. **6.** 45. **7.** 74 / 12. **8.** 03 81 66 47 21.

## 15 Singulier / pluriel, p. 17

Singulier : 3. 8.     Pluriel : 1. 5. 6.     On ne sait pas : 2. 4. 7.

## 16 Poser des questions, p. 17

**1.** Vous habitez en banlieue ?
**2.** Qu'est-ce qu'il fait, André ?
**3.** Il travaille, David ?
**4.** Vous êtes marié ?
**5.** Vous voulez boire quelque chose ?
**6.** Vous mangez où ?
**7.** Pablo, il est italien ?
**8.** Qu'est-ce que tu fais lundi ?

## 17 Orthographe : à / a, p. 18

**1.** à. **2.** à. **3.** a. **4.** a. **5.** à. **6.** a. **7.** à. **8.** à.

## 18 Orthographe : et / est, p. 18

**1.** et. **2.** est. **3.** Et. **4.** est. **5.** et. **6.** est. **7.** est. **8.** et.

## 19 Orthographe : ai / ais / ait / aît / et, p. 18

**1.** plaît. **2.** ticket. **3.** fait. **4.** sait. **5.** fait. **6.** complet. **7.** anglais. **8.** vrai.

### Séquence 3  p. 19

## 1 Intonation, p. 19

Demande d'information : 1b. 2b. 3a. 4a. 5b. 6a. 7b.
Affirmation : 1a. 2a. 3b. 4b. 5a. 6b. 7a.

## 2 Présentation, p. 19

Nom : Parisi.
Prénom : Jacques.
Âge : 40 ans.
Domicile : rue des Rosiers, Toulouse.
Profession : commercial.
Situation de famille : marié.
Tél : 06 57 44 33 21.

Nom : Dupond.
Prénom : Anne.
Âge : 40 ans.
Domicile : Nice.
Profession : pharmacienne.
Situation de famille : divorcée.
Tél : 04 33 78 65 31.

## 3 Questions / réponses, p. 20

| 1 | 2 | 3 | 4 | 5 | 6 | 7 | 8 | 9 | 10 |
|---|---|---|---|---|---|---|---|---|----|
| f | c | i | b | a | j | e | h | g | d |

# CORRIGÉS

### 4) Pluriel, p. 20

Jacques et Charlie **sont** français, il**s sont** acteur**s**, il**s** travaill**ent** dans une petite compagnie de théâtre. Il**s** habit**ent** tou**s les deux** à Toulouse. Jacques a 25 ans et Charlie a 32 ans. Il**s sont** célibataire**s**.

### 5) Ponctuation, p. 20

**1.** Chère Sophie,
Je passe d'excellentes vacances à Cannes. Il fait très beau et je profite de la plage. J'espère que tu vas bien. Je rentre samedi prochain.
Bises.
Amélie

**2.** Chers amis,
Nous sommes bien arrivés à Rome. Nous visitons la ville et les musées. L'Italie et les Italiens nous plaisent beaucoup. Nous espérons que vous avez passé de bonnes vacances.
À bientôt. Amitiés.
Jules et Françoise

### 6) Poser des questions, p. 20

**1.** Qui est-ce Gabriel Garcia Marquez ?
**2.** C'est qui, Roland ?
**3.** C'est quand le spectacle de danse ?
**4.** Quelle heure est-il ?
**5.** C'est où, le cinéma Vox ?
**6.** Qu'est-ce que tu fais demain ?
**7.** Tu veux un verre d'eau ?
**8.** C'est cher, ce livre ?

### 7) Possessifs, p. 21

**1.** Mon. **2.** Ma. **3.** Mes. **4.** Ma. **5.** Mon. **6.** mon. **7.** mes. **8.** Mon.

### 8) Possessifs, p. 21

**1.** ton. **2.** ta. **3.** tes. **4.** Ton. **5.** ton. **6.** Tes. **7.** ton. **8.** ton.

### 9) Possessifs, p. 22

**1.** Sa. **2.** Ses. **3.** Son. **4.** Sa. **5.** Ses. **6.** ses. **7.** ses. **8.** sa.

### 10) Positif / négatif, p. 22

Appréciation positive : 1. 3. 4. 5. 7. Appréciation négative : 2. 6. 8.

### 11) De / du / de la / des, p. 22

Lise : entrée (on ne sait pas), truite, dessert (on ne sait pas). / Omar : crudités, entrecôte, fromage (on ne sait pas). / Paul : entrée (on ne sait pas), poulet au curry, dessert.

### 12) Quiz de civilisation, p. 23

**1.** 60 millions.
**2.** Liberté, Égalité, Fraternité.
**3.** Cannes.
**4.** 6,55 957.
**5.** *Le Monde.*
**6.** La cancoillotte.

### 13) Orthographe : *ou* final suivi d'une consonne, p. 23

Est prononcée : 5. 7. N'est pas prononcée : 1. 2. 3. 4. 6. 8.

### 14) Orthographe : *ou* final suivi d'une consonne, p. 24

**1.** vous. **2.** beaucoup. **3.** roux. **4.** joue. **5.** nous. **6.** fous. **7.** août. **8.** bisous.

## 15) Orthographe : ou / où, p. 24

**1.** où.  **2.** ou.  **3.** ou.  **4.** où.  **5.** ou.  **6.** ou.  **7.** où.  **8.** ou.

**Séquence 4** **p. 25**

## 1) Localiser, p. 25

**1.** Colombie.  **2.** Japon.  **3.** Autriche.  **4.** Lima.  **5.** Espagne.  **6.** Brésil.  **7.** Italie.  **8.** Belgique.

## 2) Exprimer une demande, p. 25

a)

|  | Dial. 1 | Dial. 2 | Dial. 3 | Dial. 4 | Dial. 5 | Dial. 6 |
|---|---|---|---|---|---|---|
| **Où ça se passe ?** | | | | | | |
| Au cinéma | | | | | | X |
| Dans la rue | | | X | | | |
| Au restaurant | | X | | X | | |
| À la montagne | X | | | | | |
| À la maison | | | | | X | |
| **Ce qui est demandé** | | | | | | |
| Une table pour deux personnes | | | | X | | |
| Une adresse | | | X | | | |
| Un pull-over | X | | | | | |
| Des places de cinéma | | | | | | X |
| Un sac à main | | | | | X | |
| De la moutarde | | X | | | | |

**b)** Oui : 1. 2. 5.
   Non : 3. 4. 6.

c)

|  | Dial. 1 | Dial. 2 | Dial. 3 | Dial. 4 | Dial. 5 | Dial. 6 |
|---|---|---|---|---|---|---|
| **Pour demander** | | | | | | |
| S'il vous plaît | | | X | | | |
| Pardon | | X | | | | |
| S'il te plaît | X | | | | | |
| **Pour répondre** | | | | | | |
| Excusez-moi | | | X | | | |
| Tout de suite | | | | | X | |
| Bien sûr | | X | | | | |
| Je suis désolé | | | | X | | X |
| **Pour terminer** | | | | | | |
| Merci | X | | X | | X | |
| Je vous remercie | | X | | | | |
| Au revoir | | | | X | | |

### 3) Caractériser un lieu, p. 26

**1.** Clermont-Ferrand, c'est une ville de 352 000 habitants. Elle se trouve au centre de la France, elle est connue par son usine de pneus Michelin.

**2.** Strasbourg, c'est une ville de 557 000 habitants. C'est une capitale européenne, elle est située au nord-est de la France, à côté de l'Allemagne.

**3.** Le Havre, c'est un grand port pétrolier, au nord-ouest de la France. C'est une ville de 300 000 habitants.

**4.** Nantes est une ville de 674 000 habitants, à l'ouest de la France ; c'est la ville natale de Jules Verne.

**5.** Poitiers est une ville de 188 000 habitants, elle se trouve à l'ouest de la France et elle est célèbre à cause du Futuroscope.

### 4) Identifier / caractériser un lieu, p. 27

**1.** Reims.   **2.** Marne-la-Vallée.   **3.** Chamonix.   **4.** Nantes.   **5.** Chambord.   **6.** Cannes.

### 5) Le / la / l' / les ; un / une / des, p. 28

**1.** l'.   **2.** des.   **3.** Le.   **4.** la.   **5.** une.   **6.** des.   **7.** une.   **8.** la.   **9.** une / la.   **10.** une.   **11.** un.   **12.** les.

### 6) Le / la / l' / les ; un / une / des, p. 28

**1.** le / un.   **2.** les / le.   **3.** un / des.   **4.** La.   **5.** l'.   **6.** La / le.   **7.** l'.   **8.** une.   **9.** une.   **10.** des / des / des.

### 7) À / en / au, p. 29

**1.** à Beyrouth.   **2.** à São Paulo.   **3.** en Écosse.   **4.** en gare de Lyon.   **5.** dans la banlieue de Turin.   **6.** en Franche-Comté.   **7.** à la Défense.   **8.** à la porte d'Orléans.

### 8) Phrase négative, p. 29

**1.** Je ne mange pas de fruits.

**2.** Roseline n'a pas faim.

**3.** Vous n'avez pas de spaghettis à la carbonara ?

**4.** Je ne veux pas prendre de douche.

**5.** Vous n'avez pas le numéro de Stéphanie ?

**6.** Je ne connais pas la date de naissance de mon frère.

**7.** Je ne prends pas de pain aujourd'hui.

**8.** Pierre n'aime pas beaucoup le poisson.

### 9) Phrase négative, p. 30

**1.** pas l' / pas de.   **2.** pas de.   **3.** pas le.   **4.** pas la.   **5.** pas le / pas de.   **6.** pas les.   **7.** pas l'.   **8.** pas l'.

### 10) Caractériser, p. 30

| A | B | C | D |
|---|---|---|---|
| 2 | 4 | 1 | 3 |

## 11 Phonétique : [s] / [z], p. 31

[s] : 3. 4. 6. 9.
[z] : 2. 5. 7. 10.
Les deux: 1. 8.

## 12 Phonie / graphie : [s] / [z], p. 31

[s] : 4. 6. 7. 8.
[z]: 1. 2. 3. 5.

## 13 Orthographe : un s ou deux s ?, p. 31

a) 1. ss.   2. s.   3. ss.   4. s.   5. ss.   6. ss.   7. s.   8. s / ss.

b) **Règle** : on met deux s lorsqu'on prononce [s] entre deux voyelles (*boisson, dessert*). Un seul s entre deux voyelles se prononce [z]. On met un seul s devant ou derrière une consonne (*personne, correspondant*).

## 14 Orthographe : un s ou deux s ?, p. 32

1. s.   2. ss.   3. ss.   4. s.   5. ss / ss.   6. ss.   7. s.   8. ss / ss / s.

## 15 Liaisons, p. 32

A été prononcée : 2. 3. 5. 6.
N'a pas été prononcée : 1. 4. 7. 8. 9.

## 16 Liaisons, p. 32

A été prononcée : 1. 2. 5. 6. 8.
N'a pas été prononcée : 3. 4. 7.

## 17 Liaisons, p. 33

A été prononcée : 1. 3. 5. 6.
N'a pas été prononcée : 2. 4. 7. 8.

**Note pour les exercices 15, 16 et 17 :**
Certaines liaisons sont obligatoires : *ils ont, mes amis.*
D'autres sont possibles, mais facultatives : *c'est un garçon, il fait un doctorat.*
D'autres sont impossibles : *Léon Aubert, des haricots, un héros,* en particulier avec un *h.*

## 18 Orthographe : graphie du son [s], p. 34

Ce n'est pas facile d'écrire le français !
C'est même un peu difficile.
Tenez : le son [s] par exemple.
Vous pouvez l'écrire de plusieurs façons.
Cela dépend de la profession : médecin, professeur, maçon, instituteur (ou institutrice !), musicien, concierge, pâtissier ou dentiste, pharmacien ou scénariste.
Et puis une petite lettre peut faire une grande différence : il faut faire très attention ! Par exemple, il ne faut pas confondre un poisson et un poison ! On peut en mourir ! De même, parcourir la carte des desserts dans un restaurant, c'est plus agréable que parcourir un désert !
Enfin, il vaut mieux vous asseoir sur votre coussin que sur votre cousin !
Mais avec un peu de patience, un peu de chance et beaucoup de lettres (s / ss / c / c'/ ç / sc / t), vous pouvez écrire de belles phrases comme celle-ci : « Ces six soucis sont sous six saucissons secs. »

## ● ● Parcours 2, p. 35 ● ●

**Séquence 5** p. 36

### 1 Caractériser un objet, p. 36

Un roman passionnant : dial. 2.
Un grand roman : dial. 8.
Un roman policier : dial. 1.
Le roman de l'été : dial. 7.

Un roman de Thierry Jonquet : dial. 3.
Son dernier roman : dial. 3 / dial. 6.
Un roman pour l'été : dial. 5.
Un roman à suspense : dial. 4.

### 2 Démonstratifs, p. 36

**1.** chaussures.   **2.** fille.   **3.** arrondissement.   **4.** musée.   **5.** garçon.   **6.** ville.   **7.** lunettes.
**8.** plat.

### 3 Démonstratifs, p. 36

**1.** cette.   **2.** ces.   **3.** ce.   **4.** Cet.   **5.** cet.   **6.** ces.   **7.** Cette.   **8.** Ce.

### 4 Articles, p. 37

**1.** un.   **2.** la.   **3.** les.   **4.** des.   **5.** la.   **6.** des.   **7.** les.   **8.** le.   **9.** une.   **10.** de la.

### 5 Caractériser une personne, p. 37

**a)** Portrait n° 3.

**b) 1.** Alain, c'est le garçon qui **a** les cheveux bruns et les yeux bleus. Il **porte** une veste noire en cuir.
Il **est** âgé de 30 ans. Il **mesure** 1,80 m.

   **2.** Jean-Pierre, c'est le garçon qui **a** les cheveux longs. Il **porte** un costume gris. Il **mesure** 1,75 m
et il **a** 25 ans.

**c)** Jeanne, c'est **la** fille qui est à côté de Marie. Elle porte **une** robe rouge, elle a **les / des** cheveux
blonds. Mais si, regarde, c'est **la** fille qui a **les / des** yeux verts.

### 6 Professions, p. 38

| | | | | | |
|---|---|---|---|---|---|
| Le musicien | → | Enr. n° 9 | L'infirmière | → | Enr. n° 6 |
| L'architecte | → | Enr. n° 5 | Le journaliste | → | Enr. n° 11 |
| Le guide | → | Enr. n° 12 | Le boucher | → | Enr. n° 2 |
| Le facteur | → | Enr. n° 1 | L'électricien | → | Enr. n° 10 |
| Le dentiste | → | Enr. n° 8 | Le mécanicien | → | Enr. n° 4 |
| L'institutrice | → | Enr. n° 3 | L'actrice | → | Enr. n° 7 |

### 7 Caractériser un lieu, p. 38

| | | | | | |
|---|---|---|---|---|---|
| Besançon | → | Enr. n° 6 | Paris | → | Enr. n° 8 |
| Lille | → | Enr. n° 2 | Marseille | → | Enr. n° 3 |
| Sète | → | Enr. n° 4 | Madrid | → | Enr. n° 7 |
| Montauban | → | Enr. n° 1 | Porto Vecchio | → | Enr. n° 5 |

## 8 Caractériser une personne, p. 38

Personnage 1 : vice-président.
Personnage 2 : vice-présidente.
Personnage 3 : président.

Personnage 4 : secrétaire générale.
Personnage 5 : trésorier.

## 9 C'est celui qui / c'est celle qui, p. 39

| 1 | 2 | 3 | 4 | 5 | 6 | 7 | 8 |
|---|---|---|---|---|---|---|---|
| e | a | h | f | b | g | c | d |

## 10 Celui qui / celle qui, p. 39

**1.** celle qui.   **2.** celui qui.   **3.** celui qui.   **4.** celle qui.   **5.** celui qui   **6.** celle qui.   **7.** celui qui.
**8.** celui qui.

## 11 Le ... du / le ... de la / le ... de l' / le ... des / la ... de, etc., p. 39

**1.** rue.   **2.** télé.   **3.** jour.   **4.** vacances.   **5.** année scolaire.   **6.** voisins.   **7.** Sports.   **8.** États-Unis.

## 12 Phonétique : [p] / [b], p. 40

[p] : 2. 4. 9.          [b] : 5. 6. 8. 10.          Les deux : 1. 3. 7.

## 13 Orthographe : ses / ces, p. 40

**a) 1.** ses.   **2.** Ces.   **3.** Ses.   **4.** ses.   **5.** ces.   **6.** ses.   **7.** ces.   **8.** ses.

**b) Règle :** on utilise *ses* lorsqu'il s'agit du possessif et *ces* lorsqu'il s'agit du démonstratif (pour montrer quelque chose).

## 14 Orthographe : c'est / cet, p. 40

**a) 1.** Cet.   **2.** C'est.   **3.** C'est.   **4.** Cet.   **5.** C'est.   **6.** cet.   **7.** Cet.   **8.** C'est.

**b) Règle :** *cet* est le démonstratif utilisé devant un mot qui commence par une voyelle. *C'est* est un présentatif avec la forme *est* du verbe *être*.

## 15 Orthographe : ce / c' / se / s', p. 41

**a) 1.** se.   **2.** C'.   **3.** ce / ce.   **4.** ce.   **5.** s' / se.   **6.** ce.   **7.** ce.   **8.** ce / se.

**b) Règle :** *se / s'* s'utilisent devant un verbe pronominal ; *c'* s'utilise avec le verbe *être* pour le présentatif *c'est*, dans la question *qu'est-ce que c'est* ? *Ce* s'utilise comme article démonstratif (*ce* livre).

### Séquence 6  p. 42

## 1 Positif / négatif, p. 42

Opinion positive : 1. 4. 6. 9.
Opinion négative : 2. 3. 5. 7. 8. 10.

## 2 Oui / non / si, p. 42

**1.** Non.   **2.** Oui.   **3.** Oui.   **4.** Si.   **5.** Oui.   **6.** Si.   **7.** Non.   **8.** Oui.   **9.** Si.   **10.** Non.

**3) Opinion positive, p. 43**

**1.** passionnant. **2.** superbe. **3.** délicieux. **4.** très drôle. **5.** excellente. **6.** splendide.
**7.** très bon. **8.** très agréable.

**4) Opinion positive ou négative, p. 43**

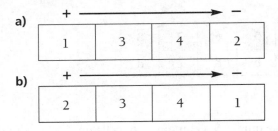

| a) | + → − |
|---|---|
| | 1 | 3 | 4 | 2 |

| c) | + → − |
|---|---|
| | 3 | 2 | 4 | 1 |

| b) | + → − |
|---|---|
| | 2 | 3 | 4 | 1 |

| d) | + → − |
|---|---|
| | 3 | 4 | 1 | 2 |

**5) Moi aussi / moi non / moi si / moi non plus, p. 43**

**1.** Moi non. **2.** Moi aussi. **3.** Moi si. **4.** Moi non. **5.** Moi aussi. **6.** Moi non plus. **7.** Moi si.
**8.** Moi non plus. **9.** Moi aussi. **10.** Moi non.

**6) Expression positive ou négative, p. 44**

| 1 | 2 | 3 | 4 | 5 | 6 |
|---|---|---|---|---|---|
| d | a | e | f | c | b |

**7) Phonétique : [f] / [v], p. 45**

[f] : 1. 2. 5. 10.          [v] : 4. 7. 8. 11. 13.          Les deux : 3. 6. 9. 12. 14. 15.

**8) Intonation positive ou négative, p. 45**

Positif : 1. 3. 6. 8. 9.          Négatif : 2. 4. 5. 7.

**9) Écrit : cartes postales, p. 46**

**A.** Cher Alain,
Je suis à la montagne, il fait beau et je fais de grandes promenades. Je rentre à la fin de la semaine prochaine.
Cordialement.
Max

**B.** Chers amis,
Nous sommes à Salvador de Bahia. C'est une ville extraordinaire, les gens sont vraiment sympas. Nous profitons de la plage et de la musique. On se verra en septembre.
Amitiés.
Pierre et Julie

**C.** Cher ami,
Je fais un stage à Besançon. C'est très intéressant. J'ai rencontré beaucoup de personnes de différentes nationalités. Je travaille beaucoup mais je peux faire un peu de tourisme. On se retrouve à Paris fin juillet comme convenu.
Amicalement.
Athanase

Note : lorsque l'exercice porte sur une production écrite, nous proposons en exemple une des réalisations possibles. Vous pouvez rédiger un écrit relativement ouvert, l'essentiel est de respecter le sens des informations données.

## 10 Orthographe : é / è / ê, p. 47

1. Il est **très bête**.
2. J'aime la **Grèce**.
3. Je **déteste** les villes.
4. Je vais à une **fête** ce soir.
5. C'est **intéressant** ce film.

6. **Après** 8 heures, je serai à la maison.
7. Tu veux un **café** ?
8. La **fiancée** de Paul est **géniale** !
9. Quelle belle **soirée** !
10. Nous allons jusqu'à la **frontière**.

## 11 Trop ; ne / n' ... pas assez, p. 47

1. Il est trop difficile.
2. Je n'ai pas assez d'argent.
3. Elle est trop chère.
4. Il est trop tard.
5. Il n'est pas assez confortable.

6. Je suis trop fatiguée.
7. Ils sont trop longs.
8. Je n'ai pas assez travaillé.
9. Il est trop petit.
10. Ce lit n'est pas assez grand.

## Séquence 7  p. 49

## 1 L'heure, p. 49

| | 22 h | 17 h 30 | midi | 9 h | 6 h | 18 h | 12 h 45 | 8 h 30 |
|---|---|---|---|---|---|---|---|---|
| Dial. n° | 7 | 5 | 1 | 2 | 4 | 3 | 6 | 8 |

## 2 Écrire l'heure, p. 49

1. huit heures quinze.  2. six heures trente.  3. sept heures.  4. dix heures dix.  5. vingt-deux heures.  6. vingt et une heures trente.  7. six heures cinquante.  8. quinze heures quinze.

## 3 L'heure courante, p. 49

1. huit heures moins le quart.  2. une heure dix.  3. onze heures moins cinq.  4. quatre heures cinq.  5. onze heures et quart.  6. midi moins dix.  7. minuit moins le quart.  8. quatre heures du matin.

## 4 Rythme d'une journée, p. 50

1. 10 h : il se lève.
2. 11 h : il prend un bain.
3. Midi : il fait les courses.
4. 3 h : il déjeune.
5. 4 h : il téléphone, il règle les problèmes quotidiens.

6. 8 h : il arrive au théâtre.
7. 9 h : il joue dans le spectacle.
8. 11 h 30 : il termine et va dîner.
9. 2 h : il rentre à la maison.

## 5 Réactions, p. 50

| 1 | 2 | 3 | 4 | 5 |
|---|---|---|---|---|
| c | e | b | d | a |

## 6 Passé / présent / futur, p. 50

Passé : 1. 5. 7. 9.
Présent : 4. 6. 10.
Futur : 2. 3. 8.

## 7 Phonétique : [k] / [g], p. 51

[k] : 2. 9.          [g] : 1. 5. 7. 8. 10.
Les deux : 3. 4. 6.

## 8 Orthographe : c / g, p. 51

**a)** [k] : 2. 3. 5. 7. 8.          [s] : 1. 4. 6. 8.
**b)** [g] : 1. 3. 5. 6. 8.          [j] : 2. 4. 7.

## 9 Prépositions, p. 52

**1.** sur.    **2.** dans.    **3.** sur.    **4.** à côté de.    **5.** sous.    **6.** à coté de.    **7.** dans.    **8.** sous, sur.

## 10 Tu / vous, p. 52

Tu : 2. 5. 6.
Vous : 1. 3. 4. 7. 8.

## 11 Phonétique : [ã] / [ɛ̃], p. 52

[ã] : 3. 5. 6. 8.          [ɛ̃] : 7. 10.
Les deux : 1. 2. 4. 9.

## 12 Pronoms compléments, p. 53

**1.** la.    **2.** le.    **3.** ça.    **4.** l'.    **5.** les.    **6.** ça.    **7.** la.    **8.** l'.    **9.** ça.    **10.** le.

 **Séquence 8  p. 54**

## 1 Caractériser pour argumenter, p. 54

| Dial. | Thème | Nombre d'arguments | Nombre d'arguments positifs | Nombre d'arguments négatifs |
|---|---|---|---|---|
| 1 | train | 2 | 2 | |
| 2 | homme | 3 | 3 | |
| 3 | portable | 3 | 3 | |
| 4 | robe | 2 | 2 | |
| 5 | femme | 3 | 1 | 2 |
| 6 | restaurant | 3 | 3 | |
| 7 | voiture | 2 | 1 | 1 |
| 8 | glace | 1 | | 1 |

## 2) Caractériser positivement, p. 54

| 1 | 2 | 3 | 4 | 5 | 6 | 7 | 8 |
|---|---|---|---|---|---|---|---|
| e | b | h | a | d | g | c | f |

## 3) Argumenter logiquement, p. 54

1. les acteurs jouent mal.
2. les gens sont accueillants.
3. elle n'est pas souriante.
4. c'est un peu cher.

5. il n'est pas très intelligent.
6. ce n'est pas cher du tout !
7. il est bien situé.
8. elle est bonne pour la santé.

## 4) Argumenter : critique négative, p. 55

1. détestable.  2. atroces.  3. épouvantables.  4. minable.  5. médiocre.  6. catastrophiques.
7. détestable.  8. insupportable.

## 5) Argumenter : critique positive, p. 55

1. génial.  2. formidable.  3. belle.  4. extraordinaire.  5. délicieuse.  6. excellente.  7. exceptionnelle.  8. brillant.

## 6) Phonie / graphie : [e] / [ɛ], p. 56

1. L'été prochain, vous êtes en Grèce.
2. Charlotte a mangé chez sa mère.
3. René a épousé Pénélope.
4. Irène a arrêté de fumer.
5. Le père d'Étienne a téléphoné.

6. Le 21 juin, c'est le début de l'été et c'est la fête de la Musique.
7. Bonnes fêtes de fin d'année !
8. Andrée a mal à la tête.

## 7) Pronoms compléments, p. 56

1. l'.  2. les.  3. ça.  4. la.  5. ça.  6. le.  7. la.  8. les.

## 8) Argumenter : critique positive, p. 56

1. Génial !
2. Elle est belle et, en plus, il ne l'a pas payée cher.
3. On s'est bien amusé.
4. Il est très chaleureux : il vient du Midi, alors…

## 9) Pronoms compléments, p. 57

1. les.  2. ça.  3. l'.  4. la.  5. ça.  6. la.  7. l'.  8. le.

## 10) Complimenter / féliciter, p. 57

| 1 | 2 | 3 | 4 | 5 | 6 | 7 | 8 |
|---|---|---|---|---|---|---|---|
| d | h | e | b | g | a | c | f |

## 11) Liaisons : les mots en *h*, p. 57

A été prononcée : 1. 4. 6. 7.          N'a pas été prononcée : 2. 3. 5. 8.

## 12) Orthographe : masculin / féminin des adjectifs, p. 58

**1.** mignon.   **2.** napolitain.   **3.** roux.   **4.** fou.   **5.** commercial.   **6.** grec.   **7.** japonais.
**8.** excellent.

## 13) Orthographe : masculin / féminin des adjectifs, p. 58

**1.** cher.   **2.** provençal.   **3.** complet.   **4.** amoureux.   **5.** chaud.   **6.** personnel.   **7.** brun.
**8.** bleu.

## 14) Orthographe : masculin / féminin des adjectifs, p. 58

**1.** connu.   **2.** canadien.   **3.** maghrébin.   **4.** sportif.   **5.** délicieux   **6.** sûr.   **7.** ennuyeux.
**8.** dernier.

# Parcours 3, p. 59

## Séquence 9  p. 60

## 1) Participes passés, p. 60

| Participes passés en *é* | Participes passés en *i (i, is, it)* | Participes passés en *u* |
| --- | --- | --- |
| travaillé | sorti | su |
| chanté | dit | entendu |
| marié | compris | lu |
| parlé | appris | perdu |
| habité | | connu |
| acheté | | venu |
| | | bu |
| | | pu |

## 2) Participes passés, p. 60

**1.** travaillé.   **2.** lu.   **3.** entendu.   **4.** acheté.   **5.** pu / eu.   **6.** sorti.   **7.** compris.   **8.** vendu.
**9.** passé.   **10.** appris.

## 3) Questions / réponses, p. 61

| 1 | 2 | 3 | 4 | 5 | 6 | 7 | 8 |
| --- | --- | --- | --- | --- | --- | --- | --- |
| d | c | e | a | b | g | h | f |

## 4) Activités, p. 61

Propositions de productions :
**1.** Jean-René a passé le samedi matin à la plage. Il a lu un roman.
**2.** À midi, il a déjeuné / mangé au restaurant. Il a pris / commandé du poisson. Il a bu du vin blanc.
**3.** L'après-midi, il est allé au stade. Il a vu / regardé un match de football.
**4.** Le soir, il est allé au cinéma. Il a vu un western.
**5.** Le dimanche, il a fait une longue promenade à bicyclette.

## 5) Auxiliaires, p. 62

**1.** est.   **2.** avons.   **3.** êtes.   **4.** suis.   **5.** est.   **6.** avez.   **7.** ont.   **8.** a.   **9.** est.   **10.** avons.

## 6) Dialogues, p. 62

**1.** – Tu as aimé le film de Lelouch ?
   – Non, pas beaucoup mais ensuite j'ai vu *La Planète des singes*.
   – Moi aussi, la semaine dernière, j'ai trouvé ce film moyen.
**2.** – Vous êtes allés en Grèce cet été ?
   – Oui, dans l'île de Chios, on a bien aimé.
   – Je connais, je suis allée dans cette île il y a quatre ans.
**3.** – Vous êtes parti en vacances ?
   – Oui, mais seulement quinze jours.
   – Nous, nous avons beaucoup voyagé dans le sud de la France.

## 7) Graphie du son [ɛ], p. 62

**a) 1.** taire.   **2.** perds.   **3.** mère.   **4.** faire.   **5.** verre.   **6.** cher.   **7.** paire.   **8.** très.
**b)** Les différentes graphies du son [ɛ] : ai / e / è.

## 8) Activités, p. 63

| 1 | 2 | 3 | 4 | 5 | 6 | 7 | 8 |
|---|---|---|---|---|---|---|---|
| g | c | e | a | d | h | b | f |

## 9) Passés composés et accords, p. 63

**1.** est partie.   **2.** sont allés.   **3.** êtes restée.   **4.** est montée.   **5.** sont nés.   **6.** sont mortes.   **7.** sont arrivés.   **8.** es sortie.   **9.** est venue.   **10.** sont rentrés.

## 10) Participes passés, p. 64

**1.** Pleuvoir : plu.
**2.** Voir : vu.
**3.** Pouvoir : pu.
**4.** Recevoir : reçu.
**5.** Croire : cru.
**6.** Décevoir : déçu.
**7.** Élire : élu.
**8.** Boire : bu.

## 11) Participes passés, p. 64

**1.** Comprendre : compris.
**2.** Partir : parti.
**3.** Finir : fini.
**4.** Dire : dit.
**5.** Prendre : pris.
**6.** Promettre : promis.
**7.** Mettre : mis.
**8.** Sortir : sorti.

## 12 Écrit : carte postale, p. 64

Proposition de production :

Samedi, j'ai passé une journée très agréable. Le matin, j'ai fait des courses avec une amie. Elle a acheté un canapé et moi un meuble pour ma salle de bain. Le soir, nous sommes allés ensemble au cinéma et, après le film, je l'ai invitée dans un restaurant chinois du centre-ville. C'était vraiment très bien.

Dimanche, j'ai fait une grande promenade en forêt. Il y avait un lac. Il faisait très beau et très chaud. Je me suis baigné et, avec deux amis qui étaient avec moi, nous avons fait un tour en bateau.

Nous sommes rentrés très tard. C'était vraiment un week-end super sympa et je suis en pleine forme pour commencer une nouvelle semaine.

### Séquence 10  p. 65

### 1 Le passé composé, p. 65

|  | Fait | Pas fait |
|---|---|---|
| Réserver une chambre pour le 19.04 | X |  |
| Payer le loyer |  | X |
| Appeler Météo France |  | X |
| Réserver une table au Poker d'As |  | X |
| Laisser la voiture au garage | X |  |
| Prendre rendez-vous chez l'ophtalmologiste |  | X |
| Acheter un cahier de dessin pour Gaël |  | X |
| Acheter un cadeau pour Jacky | X |  |

### 2 Chronologie d'un récit, p. 65

| 3 | 5 | 1 | 4 | 2 |
|---|---|---|---|---|

### 3 Il y a / depuis / ça fait ... que / il y a ... que, p. 65

**1.** Il y a ... que, ça fait ... que.   **2.** depuis.   **3.** depuis.   **4.** depuis, il y a.   **5.** Ça fait ... que, il y a ... que.   **6.** il y a, ça fait.   **7.** Ça fait ... que.   **8.** depuis.

### 4 Il y a / depuis / ça fait ... que / il y a ... que, p. 66

**1.** depuis.   **2.** Ça fait ... que, il y a ... que.   **3.** il y a.   **4.** depuis.   **5.** Depuis.   **6.** Ça fait ... qu', il y a ... qu'.   **7.** il y a.   **8.** depuis.

### 5 Chronologie d'un récit, p. 66

| 5 | 3 | 2 | 4 | 1 |
|---|---|---|---|---|

## 6) Le passé négatif, p. 66

**1.** J'ai déjà rencontré le grand amour. / Je n'ai jamais rencontré le grand amour.

**2.** J'ai déjà gagné une grosse somme à un jeu de hasard. / Je n'ai jamais gagné une grosse somme à un jeu de hasard.

**3.** Je suis déjà arrivé(e) en retard à un rendez-vous important. / Je ne suis jamais arrivé(e) en retard à un rendez-vous important.

**4.** J'ai déjà oublié mes clés à l'intérieur de ma voiture fermée. / Je n'ai jamais oublié mes clés à l'intérieur de ma voiture fermée.

**5.** J'ai déjà rencontré une personne célèbre. / Je n'ai jamais rencontré une personne célèbre.

**6.** J'ai déjà pris le Concorde. / Je n'ai jamais pris le Concorde.

**7.** J'ai déjà eu un accident de voiture. / Je n'ai jamais eu d'accident de voiture.

**8.** J'ai déjà perdu mon portefeuille. / Je n'ai jamais perdu mon portefeuille.

## 7) Rédiger un court message, p. 67

**1.** Monsieur Tavigny a téléphoné. Il a un rendez-vous à 9 h 15 lundi. Il ne peut pas venir. Nouveau rendez-vous : mercredi à 16 h 30.

**2.** Chéri,
Le garage des Alpes a téléphoné. La voiture n'est pas prête (problème de pièce). Tu peux passer après-demain vers midi. Numéro de téléphone du garage : 03 57 22 43 43.
Je t'embrasse.

**3.** Monsieur et madame Jonas. Réservation demain soir pour 12 personnes à 21 h 15 (et non pour 8 personnes à 20 h 30).

**4.** Pour monsieur Moreau : monsieur Martinot a téléphoné. Il choisit la formule B (voyage d'une semaine au Guatemala – Prix : 1 512 euros).

## 8) Le passé négatif, p. 68

**1.** René n'a pas invité Christine à déjeuner.

**2.** Je n'ai pas rencontré Alain au café de la Paix.

**3.** Alexandre n'est pas allé faire les courses.

**4.** Sylvie et sa grand-mère ne sont pas sorties.

**5.** Jonathan n'a pas visité Alexandrie.

**6.** Henri n'a pas vendu sa voiture.

**7.** Pierre n'a pas répondu à la question du professeur.

**8.** Hier soir, je n'ai pas mangé chez Jean.

## 9) Orthographe : graphie du son [ɛ] en finale, p. 69

**1.** prêt. **2.** voudrais. **3.** irlandais. **4.** lait. **5.** plaît. **6.** ticket. **7.** fais. **8.** complet.

## 10) Orthographe : graphie du son [ɛ] ailleurs qu'en finale, p. 69

**1.** renseignement. **2.** crème. **3.** aimons. **4.** m'aider. **5.** célibataire. **6.** pleine. **7.** laisser / après. **8.** anniversaire.

## 11) Orthographe : graphie du son [ɛ] ailleurs qu'en finale, p. 69

**1.** Sète. **2.** paire. **3.** plaisantes. **4.** père. **5.** peine. **6.** préfères. **7.** affaires. **8.** semaine / complète.

# CORRIGÉS

## Séquence 11 p. 70

### 1) Demande, p. 70

**a)**

| | | |
|---|---|---|
| Frontière | → | Enr. n° 8 |
| Annonce gare | → | Enr. n° 7 |
| Petit déjeuner à la maison | → | Enr. n° 4 |
| Restaurant | → | Enr. n° 2 |
| Café | → | Enr. n° 6 |
| Renseignements gare | → | Enr. n° 3 |
| Annonce aéroport | → | Enr. n° 1 |
| Taxi | → | Enr. n° 5 |

**b)**

| | | |
|---|---|---|
| Conditionnel avec *pouvoir* | → | Enr. n° 3 |
| Conditionnel avec *vouloir* | → | Enr. n° 2 |
| Impératif | → | Enr. n$^{os}$ 4, 7 |
| Un ou plusieurs noms | → | Enr. n$^{os}$ 6, 8 |
| Expression *être prié de* | → | Enr. n° 1 |
| *Pouvoir* | → | Enr. n° 5 |

### 2) Quantification, p. 70

**1.** litres. **2.** kilo. **3.** Trois. **4.** douzaine. **5.** un. **6.** tranches. **7.** douzaines. **8.** paquet.

### 3) Conditionnel, p. 70

**1.** pourriez. **2.** aimerais. **3.** pourrais. **4.** auriez. **5.** voudrais. **6.** aurais. **7.** aimerions. **8.** pourriez. **9.** voudrais. **10.** pourrais.

### 4) Le pronom *on*, p. 71

Nous : 2. 5. 6. 8. 10.    Les gens : 3. 7. 9.    Quelqu'un : 1. 4.

### 5) Les pronoms relatifs *qui / que*, p. 71

Que : 1. 3. 5. 6. 8.    Qui : 2. 4. 7. 9. 10.

### 6) Les pronoms relatifs *qui / que*, p. 72

**1.** Je connais le fils de Charles, celui qui habite à Rome.
**2.** C'est le professeur que tu connais / qui te cherche / qui est brésilien.
**3.** Il y a quelqu'un qui te cherche / que tu connais / qui est brésilien.
**4.** Voici le rapport que tu as demandé / que tu connais.
**5.** Alain a une fille que tu connais.
**6.** Je cherche le livre que tu m'as prêté.
**7.** J'ai vu un film qui est excellent / qui est brésilien.
**8.** Nous avons un ami qui te cherche / qui est brésilien.
**9.** Prête-moi le disque que tu viens d'acheter / que je préfère.

### 7) Arguments, p. 72

**1.** C'est vraiment cher.
**2.** Cet exercice est facile.
**3.** Il est tellement agréable.
**4.** Ce film est intéressant.
**5.** C'est un livre inutile pour ton travail.
**6.** Quelle soirée amusante !
**7.** Elle est stupide / bête.
**8.** Cette fille n'est pas très drôle. / Cette fille est triste.

### 8) Futur, p. 73

**1.** serons. **2.** aura. **3.** neigera. **4.** aura. **5.** aurez. **6.** sera. **7.** resterons. **8.** serai. **9.** partirons. **10.** brillera.

## 9) Bulletin météo, p. 73

Proposition de production :

Le matin, il y aura quelques chutes de neige sur l'ensemble de la France. Dans l'après-midi, le soleil brillera sur le Sud. Mais le temps restera gris au Nord et les températures seront partout en baisse. Le soir, des vents forts balaieront le Sud-Est / souffleront sur le Sud-Est.

## 10) Orthographe : graphie du son [u] en finale, p. 73

**a) 1.** coup. **2.** fous. **3.** dessous. **4.** bout. **5.** loup. **6.** fou. **7.** cou. **8.** bijoux. **9.** chou. **10.** genou.

**b)** Le son [u] en finale peut être écrit de plusieurs façons : -ou / -oux / -oup / -out / -ous

## 11) Orthographe : graphie du son [ã], p. 74

**a) 1.** ensemble. **2.** vent. **3.** Cent. **4.** fatigant. **5.** grand / champ. **6.** vampires. **7.** chants. **8.** semblez. **9.** Empereur. **10.** entend.

**b)** Trente / danser / dent / blanc / banque.

## Séquence 12 p. 75

## 1) Repérage de l'imparfait, p. 75

Imparfait : 1. 3. 5. 7. 8.  Autre chose : 2. 4. 6.

## 2) C'était / il y avait / il faisait / il *ou* elle était, p. 75

**1.** il y avait. **2.** il faisait. **3.** c'était. **4.** il y avait. **5.** Elle était, c'était. **6.** Il faisait. **7.** il y avait. **8.** Il était.

## 3) Morphologie de l'imparfait, p. 75

**1.** passais. **2.** travaillait. **3.** voulais. **4.** finissais. **5.** venait / restait. **6.** étais / sortais / dansais / faisais. **7.** habitait. **8.** croyais / vivais.

## 4) Morphologie de l'imparfait, p. 76

**1.** Je n'avais pas envie d'aller à cette soirée.
**2.** Adrien souhaitait parler avec toi.
**3.** Tu ne me devais pas de l'argent, toi ?
**4.** Je lisais beaucoup de romans policiers.
**5.** En Espagne, nous voyagions en train.
**6.** Mes enfants téléphonaient pendant des heures !
**7.** Mais, tu jouais de la guitare, toi, non ?
**8.** Je ne connaissais pas l'Italie.

## 5) Emploi de l'imparfait et du passé composé, p. 76

**1.** était / êtes passé. **2.** est parti / avait / était. **3.** a sonné / prenais / ne pouvais pas répondre, n'ai pas pu répondre. **4.** est entré / est ressorti. **5.** traversait, a traversé / a freiné / n'a pas pu. **6.** sont passés / étions. **7.** n'a pas reçu / était. **8.** ai voulu, voulais / n'avait plus.

## 6) Phonétique [d] / [t], p. 77

[d] : 5. 7.  [t] : 1. 2. 4. 6.  Les deux : 3. 8.

## 7) Imparfait / passé composé, p. 77

- Du 2 au 17 juillet : vacances en Grèce.
- 2 juillet : arrivée à Athènes.
- 3 et 4 juillet : séjour à Athènes.
- Du 5 au 12 juillet : circuit de la Grèce classique : Olympie, Mycènes, Épidaure, Sparte.
- 13 et 14 juillet : séjour à Delphes.
- 15 et 16 juillet : baignade, plage près de Corinthe.
- 17 juillet : retour en France.
- 18 juillet : reprise du travail.

## 8) Orthographe : graphie du son [ε] en finale, p. 77

**1.** monnaie. **2.** paix. **3.** billet. **4.** près. **5.** connaît. **6.** forêt. **7.** faisais / étais. **8.** pouvait.

## 9) Orthographe : masculin / féminin des adjectifs, p. 78

**1.** génial. **2.** vert. **3.** maigre. **4.** gris. **5.** sérieux. **6.** laid. **7.** sympathique. **8.** drôle.

## 10) Orthographe : masculin / féminin des adjectifs, p. 78

**1.** intéressant. **2.** mauvais. **3.** rigolo. **4.** beau. **5.** amusant. **6.** triste. **7.** nul. **8.** spacieux.

# ● ● Parcours 4, p. 79 ● ●

## Séquence 13 p. 80

## 1) Itinéraire, p. 80

Enr. n° 2.

## 2) Intonation, p. 80

Demande : 1. 3. 5. 7. 9.         Autre chose : 2. 4. 6. 8. 10.

## 3) En / y, p. 81

**1.** y. **2.** en / y. **3.** en. **4.** y. **5.** en. **6.** y. **7.** en.

## 4) Qu'est-ce que / est-ce que, p. 81

| 1 | 2 | 3 | 4 | 5 | 6 | 7 | 8 | 9 | 10 |
|---|---|---|---|---|---|---|---|---|----|
| i | g | a | h | c | d | b | j | e | f |

## 5) Demande, p. 81

**1.** Je voudrais un pain et deux éclairs au chocolat. / Vous pourriez me donner un pain et deux éclairs au chocolat ?

**2.** Vous pourriez me passer madame Chauvin ?

**3.** Vous pourriez taper cette lettre tout de suite ?

**4.** Vous pourriez faire moins de bruit ?

**5.** Tu pourrais acheter le journal ?

**6.** Vous pourriez me prêter votre machine à calculer ?

**7.** Je voudrais un jus de tomate. / Vous pourriez me donner un jus de tomate ?

**8.** Vous pourriez attendre cinq minutes ?

## 6 Demande, p. 82

1. Une carte de téléphone et des tickets de bus, s'il vous plaît.
2. Si tu sors, achète *Le Monde*.
3. S'il vous plaît, où se trouve la gare ?
4. Baisse la musique !
5. Mademoiselle Deschamps, vous me sortez le dossier.
6. Commande-moi un café et un Perrier.
7. Tu as du temps pour m'aider à faire ce devoir ?
8. Madame, s'il vous plaît, deux petits euros !

## 7 Rédiger un programme, p. 83

- Samedi 5 :
  11 h 30 : départ Orly Ouest OA 112.
  14 h 40 : arrivée – M. Benoît.
  Réunion de travail.
  22 h : Dîner.
- Dimanche 6 :
  Libre.
- Lundi 7 :
  7 h : départ Thessalonique.
  Visite filiale.
- Mardi 8 :
  Matin : retour Athènes.
  Réunion de bilan.
  15 h : départ Paris.

## 8 Mots interrogatifs, p. 83

|  | Dialogue n° | Mot interrogatif |
|---|---|---|
| Date d'anniversaire | 2 | quand |
| Prix d'une place de cinéma | 7 | combien |
| Horaire de train | 4 | à quelle *heure* |
| Âge | 8 | quel *âge* |
| Salaire mensuel | 3 | combien |
| Dates de congés | 6 | à quel *moment* |
| Lieu de rendez-vous | 5 | où |
| Moyen de transport | 1 | comment |

## 9 Horaires, p. 84

1. Départ Besançon : 6 h 55. Arrivée Paris : 9 h 35.
2. Départ Besançon : 8 h 30. Arrivée Dijon : 9 h 35. Départ Dijon : 9 h 55. Arrivée Paris : 11 h 30.
3. Départ Besançon : 10 h 45. Arrivée Paris : 13 h 20.

## 10 Rédiger une demande, p. 84

Votre nom / Votre adresse / La date

Monsieur,

Je vous serai reconnaissant(e) de bien vouloir m'envoyer des brochures touristiques sur la Bretagne. Je souhaiterais aussi avoir des informations sur les différentes possibilités d'hébergement, en particulier sur des hôtels pas trop chers.

Je vous remercie d'avance.

Veuillez agréer, Monsieur, mes salutations distinguées.

Signature

# CORRIGÉS

**Séquence 14** p. 85

**1) Donner des consignes, p. 85**

| 2 | 4 | 1 | 3 |

**2) Donner des consignes, p. 85**

| 3 | 1 | 4 | 2 |

**3) Donner des consignes, p. 85**

| 4 | 2 | 3 | 1 |

**4) Donner des consignes, p. 85**

| 3 | 2 | 1 | 4 |

**5) Conjugaison de l'impératif, p. 86**

**1.** Sors / Sortez.   **2.** Faites.   **3.** Écoutez / Écoute.   **4.** Appuyez / Appuie.   **5.** Composez.   **6.** choisissez.
**7.** Aidez.   **8.** ferme.

**6) Conjugaison de l'impératif, p. 86**

**1.** Écrivez.   **2.** Dis.   **3.** Ouvrez.   **4.** Soyez.   **5.** Appelle.   **6.** introduisez.   **7.** Déjeune.   **8.** Prenez.

**7) Donner une consigne, un ordre ou un conseil à l'impératif, p. 86**

**1.** Parlez plus doucement, s'il vous plaît.
**2.** Porte ma valise. Elle est lourde !
**3.** Écrivez à vos grands-parents.
**4.** Georges ! Prends ton médicament !
**5.** Lis ce livre.
**6.** Pensez à apporter mes affaires.
**7.** Prends quinze jours de vacances.
**8.** Venez avant 18 h.

**8) Pronoms compléments, p. 87**

**1.** Donne-moi ton numéro de téléphone, s'il te plaît.
**2.** Prête-moi ta voiture demain soir.
**3.** Parle-moi !
**4.** Écoutez-moi cinq minutes.
**5.** Téléphone-moi.
**6.** Attendez-moi un quart d'heure.
**7.** Aidez-moi, s'il vous plaît.
**8.** Dis-moi ce que tu vas faire.

**9) Donner une consigne, un ordre ou un conseil à l'impératif, p. 87**

**1.** Allô ? Passez-moi le secrétariat du directeur, s'il vous plaît.
**2.** Parle moins vite : Paolo ne te comprend pas.
**3.** Téléphone pour appeler un taxi.
**4.** Prête-moi un parapluie. J'ai oublié le mien.
**5.** Pour progresser en français, parle / parlez plus souvent !
**6.** Montre-moi tes photos de vacances.
**7.** Ce quartier est trop bruyant : change d'appartement.
**8.** Je suis venu à pied. Ramène-moi chez moi en voiture.

**10) Faire des recommandations, p. 88**

**1.** Aérez.   **2.** prenez / préférez.   **3.** Faites / Profitez.   **4.** regardez / choisissez.   **5.** Pensez.

### 11) Verbe à construction simple ou double, p. 89
**1.** Oui, je l'ai revue avant-hier.
**2.** Oui, je lui ai téléphoné.
**3.** Oui, je lui ai demandé, il donnera sa réponse demain.
**4.** Oui, je leur ai envoyé un très beau bouquet de roses.
**5.** Oui, je la verrai vendredi soir, à la piscine.
**6.** Oui, j'y ai pensé : je les ai rapportés ce matin.
**7.** Oui, je vais le voir à cinq heures, je (la) lui donnerai.
**8.** Oui, je lui ai envoyé une carte avec un dessin humoristique.

### 12) Morphologie du futur, p. 89
**1.** passerai. **2.** pourrez. **3.** verrez / ira. **4.** prendrons. **5.** ferai. **6.** finirons. **7.** penseras.
**8.** vivra / verra.

### 13) Futur : rédiger un programme, p. 90
Proposition de production :

Madame, Monsieur,

Nous partirons en train le mercredi 24 avril 2002. Le rendez-vous est donc fixé à 6 h 45 devant la gare. Nous arriverons à Strasbourg à 10 heures. Nous visiterons le centre-ville et la cathédrale. L'après-midi, à 14 heures, nous irons au Parlement européen que nous visiterons. Les élèves rencontreront des parlementaires européens.
À 16 heures, nous nous rendrons dans le quartier de la Petite France pour le visiter.
Nous quitterons Strasbourg par le train de 17 h 12 et nous arriverons à 20 h 09 (rassemblement devant la gare).
Veuillez agréer, Madame, Monsieur, nos salutations distinguées.

Les professeurs responsables

### 14) Orthographe : *avoir* ou *être*, p. 90
**1.** es. **2.** ai. **3.** avez. **4.** ai. **5.** êtes. **6.** ai. **7.** a. **8.** est.

### 15) Orthographe : peu / peux / peut, p. 91
**a) 1.** peux. **2.** peut. **3.** peu. **4.** peux. **5.** peut. **6.** peu. **7.** peu. **8.** peut.
**b) Règle :** *peu* signifie une petite quantité (c'est le contraire de *beaucoup*). Les autres graphies sont des formes du verbe *pouvoir* : *peux* si le mot qui précède est *je* ou *tu*, *peut* si le mot qui précède est *il, elle* ou *on*.

## Séquence 15 p. 92

### 1) Rapporter les paroles de quelqu'un, p. 92
**1.** demande si. **2.** dit qu'. **3.** demande si. **4.** demande si. **5.** disent qu'. **6.** dit qu'. **7.** dit qu'.
**8.** demande si. **9.** demande si. **10.** dit qu'.

### 2) Futur, p. 92
Futur : 2. 3. 5. 7. 9. 10. Autre chose : 1. 4. 6. 8.

### 3) Information précise / imprécise, p. 93
Information précise : 1. 4. 6. 8. 10. Information imprécise : 2. 3. 5. 7. 9.

## 4) Comparatifs, p. 94

1. Un café coûte plus cher en France qu'en Espagne.
   Le prix du café est plus élevé en Allemagne qu'en France.
   Un café coûte moins cher en France qu'en Suède.

2. Le Ghana est plus peuplé que la Gambie.
   Il y a moins d'habitants en Gambie qu'au Ghana.
   La Gambie est moins peuplée que le Ghana.

3. Valérie gagne plus que Françoise.
   Françoise a un salaire plus bas que celui de Valérie.

Le salaire de Valérie est plus élevé que celui de Françoise.

4. Pascal a un appartement plus grand que celui de Denis.
   L'appartement de Denis est plus petit que celui de Pascal.
   Denis a un appartement plus petit que celui de Pascal.

5. Henri est plus âgé que Gilles.
   Gilles est plus jeune qu'Henri.
   Gilles est moins âgé qu'Henri.

## 5) Discours rapporté, p. 94

1. Il dit qu'il travaille demain.
2. Elle dit qu'elle a rencontré Aline.
3. Il disent qu'ils sont allemands.
4. Elle dit qu'il y aura du soleil demain.
5. Ils disent qu'ils ont acheté une maison dans le Sud.
6. Elle dit qu'elle sera à Paris du 15 au 17 février.

7. Il dit qu'il a appris l'anglais tout seul.
8. Elles disent qu'elles sont allées voir un film super.
9. Il dit qu'il a gagné au loto.
10. Elle dit qu'elle cherche une voiture d'occasion pas trop chère.

## 6) Programme, p. 95

• Lundi :
   10 h : responsables filiale belge.
   Déjeuner restaurant Les Lilas.
   14 h 30 : réunion de bilan.

• Mardi :
   8 h 30 : départ.
   10 h 15 : avion Francfort.

   13 h : M. Muller.
   18 h : retour.
   19 h 10 : arrivée Paris.

• Mercredi :
   9 h : responsables service export.
   11 h : Mme Martin.
   Après-midi : libre.

## 7) Consignes, p. 95

Cher Paul,

Est-ce que tu pourras arroser les plantes deux fois par semaine ? Quand tu passeras, relève le courrier et note les messages téléphoniques. Il faut ouvrir les fenêtres une fois par semaine.
Laisse les clés chez la concierge. Merci. À bientôt.

## 8) Intonation du reproche, p. 96

Reproche : 3. 4. 6. 8.       Autre chose : 1. 2. 5. 7.

## 9) CV, p. 96

Nom : Malin.
Prénom : Pierre.
Âge : 27 ans.
Situation de famille : célibataire.
Études : Bac sciences économiques / BTS tourisme (Brevet de technicien supérieur).

Expérience professionnelle : Euro Voyages Lyon, service clientèle (3 ans) / Euro Voyages Paris, développement de circuits touristiques Maghreb et Afrique (1 an et demi).
Langues parlées : anglais, notions d'espagnol et d'arabe.

## 10 Orthographe : le son [ã], p. 96

**1.** seulement   **2.** vraiment.   **3.** enfants.   **4.** appartement / grand.   **5.** vent.   **6.** manteau.
**7.** trente / ans / quarante.   **8.** prend / chant.   **9.** vend.   **10.** ancien / appartement.

## 11 Messages, p. 97

**1.** Maman,
   Rappelle Philippe à son travail.
   Sylvie
**2.** M. Leroux,
   Envoyer à M. Legrand le document convenu. N° de fax : 04 65 76 98 43.
**3.** Jacques,
   Ne pas oublier le RDV demain midi avec Henri, restaurant du Soleil.
**4.** Marc,
   Pour le club de judo, il faut : certificat médical, fiche d'inscription, 200 euros.
**5.** M. Dufour,
   Pascal Dubois confirme pour le RDV jeudi 19 à 8 h 15.

## 12 Comparaison, p. 98

L'Argentine est plus peuplée que le Venezuela. Dans les deux pays, on parle la même langue, l'espagnol. La densité de population au km² est plus forte au Venezuela. Dans les deux pays, la population
vit surtout dans les villes, environ 90 %. Le PIB par habitant est beaucoup plus élevé en Argentine
qu'au Venezuela et le taux de chômage est un peu plus faible au Venezuela qu'en Argentine. Le taux
d'alphabétisation est légèrement supérieur en Argentine. Il y a beaucoup plus de chaînes de télévision
en Argentine qu'au Venezuela.

### Séquence 16  p. 99

## 1 Phonie / graphie : [ã] / [ə], p. 99

[ã] : 1. 2. 4. 6. 7.      [ə] : 3. 5. 8.

## 2 Accepter / refuser, p. 99

**1.** Vous voulez venir à la fête que j'organise après-demain soir ?
**2.** Il y a une très belle expo au Grand Palais, ça vous dirait ?
**3.** Tu aimerais aller voir Johnny Hallyday à Bercy ?
**4.** Samedi, j'invite quelques copains, si tu as envie, tu viens.
**5.** Je vais voir un concert de musique latino ce soir, ça te dit ?
**6.** Un week-end loin d'ici, en amoureux, ça te dirait ?
**7.** J'organise une soirée chez moi après-demain, tu viens ?
**8.** Si on allait voir le dernier film de Godard ?

**Note :**
Quelques éléments de langue familière :
– *expo* pour exposition.
– *fauché* se dit de quelqu'un qui n'a pas d'argent.

# CORRIGÉS

## 3) Proposer / répondre, p. 100

| 1 | 2 | 3 | 4 | 5 | 6 | 7 | 8 |
|---|---|---|---|---|---|---|---|
| h | f | b | d | e | a | g | c |

## 4) Proposer / accepter / refuser, p. 100

Accepte : 2. 3. 5. 6. 7.    Refuse: 1. 4. 8.

**Note :** *crevé* (langue familière) : fatigué.

## 5) Orthographe : la / là / l'a / l'as, p. 101

**a) 1.** l'as.   **2.** là.   **3.** la.   **4.** l'a.   **5.** la.   **6.** l'a.   **7.** là / la.   **8.** l'as.

**b) Règle :** *l'* s'utilise devant le verbe *avoir* (tu l'as, il / elle l'a, on l'a). *La* est un article (*la* salle) ou un pronom (je *la* connais). *Là* sert à localiser (ton livre est *là*).

## 6) Orthographe : finales en *-er / -ez / -é / -ai / -ais / -ait*, p. 101

**1.** travaillé.   **2.** pourriez / aider.   **3.** Désolé / pouvez / entrer / privé.   **4.** voulez / reviendrai.   **5.** parfait.
**6.** connaissais / oublié.   **7.** aimait / voyager / exploré / entier.   **8.** Passez / serai.   **9.** serais / vais.

## 7) Intonation : enthousiasme / ironie, p. 102

Enthousiasme : 2. 3. 5. 7.        Ironie : 1. 4. 6. 8.

## 8) Familles de mots, p. 102

**1.** sévérité.   **2.** poliment.   **3.** hypocrisie.   **4.** gentillesse.   **5.** franche.   **6.** ferme.   **7.** aimable.
**8.** sévère.

## 9) Chronologie, p. 102

**1.** commencer / continuer / terminer.   **2.** Au début / ensuite / enfin.   **3.** pour commencer, d'abord / ensuite / pour terminer, enfin.   **4.** terminez / Après / puis, ensuite.   **5.** D'abord / ensuite / enfin.

## 10) Expressions imagées, p. 103

**1.** Être flatteur avec quelqu'un.
**2.** Cela ne me concerne pas.
**3.** Être sorti d'une situation difficile.
**4.** Faire croire quelque chose de faux à quelqu'un.
**5.** Ne pas pouvoir faire deux choses à la fois.
**6.** Trouver des explications complexes ou bizarres.
**7.** Passer brusquement d'un sujet de conversation à un autre.
**8.** Il pleut beaucoup.

## 11) Écrit : lettre, p. 104

Proposition de production :
**1.** Chère Marie,

Je suis très heureuse que tu te maries, mais je suis vraiment désolée car je ne pourrai pas assister à votre mariage le 10 novembre. En effet, il y a longtemps j'ai répondu à un concours dans un magazine féminin et, il y a quelques jours, j'ai appris que j'avais gagné une croisière en Méditerranée. Je vais partir une semaine entre le 5 et le 12 novembre avec Christian. Je te souhaite ainsi qu'à Philippe beaucoup de bonheur, je penserai à vous.
Bises.
Amélie

# CONJUGAISONS

| | PRÉSENT | IMPARFAIT | PASSÉ COMPOSÉ | FUTUR | CONDITIONNEL |
|---|---|---|---|---|---|
| **VERBES EN -ER** | **manger**<br>je mange<br>tu manges<br>il mange<br>nous mangeons<br>vous mangez<br>ils mangent | je mangeais<br>tu mangeais<br>il mangeait<br>nous mangions<br>vous mangiez<br>ils mangeaient | j' ai mangé<br>tu as mangé<br>il a mangé<br>nous avons mangé<br>vous avez mangé<br>ils ont mangé | je mangerai<br>tu mangeras<br>il mangera<br>nous mangerons<br>vous mangerez<br>ils mangeront | je mangerais<br>tu mangerais<br>il mangerait<br>nous mangerions<br>vous mangeriez<br>ils mangeraient |
| | **appeler**<br>j' appelle<br>tu appelles<br>il appelle<br>nous appelons<br>vous appelez<br>ils appellent | j' appelais<br>tu appelais<br>il appelait<br>nous appelions<br>vous appeliez<br>ils appelaient | j' ai appelé<br>tu as appelé<br>il a appelé<br>nous avons appelé<br>vous avez appelé<br>ils ont appelé | j' appellerai<br>tu appelleras<br>il appellera<br>nous appellerons<br>vous appellerez<br>ils appelleront | j' appellerais<br>tu appellerais<br>il appellerait<br>nous appellerions<br>vous appelleriez<br>ils appelleraient |
| | **acheter**<br>j' achète<br>tu achètes<br>il achète<br>nous achetons<br>vous achetez<br>ils achètent | j' achetais<br>tu achetais<br>il achetait<br>nous achetions<br>vous achetiez<br>ils achetaient | j' ai acheté<br>tu as acheté<br>il a acheté<br>nous avons acheté<br>vous avez acheté<br>ils ont acheté | j' achèterai<br>tu achèteras<br>il achètera<br>nous achèterons<br>vous achèterez<br>ils achèteront | j' achèterais<br>tu achèterais<br>il achèterait<br>nous achèterions<br>vous achèteriez<br>ils achèteraient |
| | **envoyer**<br>j' envoie<br>tu envoies<br>il envoie<br>nous envoyons<br>vous envoyez<br>ils envoient | j' envoyais<br>tu envoyais<br>il envoyait<br>nous envoyions<br>vous envoyiez<br>ils envoyaient | j' ai envoyé<br>tu as envoyé<br>il a envoyé<br>nous avons envoyé<br>vous avez envoyé<br>ils ont envoyé | j' enverrai<br>tu enverras<br>il enverra<br>nous enverrons<br>vous enverrez<br>ils enverront | j' enverrais<br>tu enverrais<br>il enverrait<br>nous enverrions<br>vous enverriez<br>ils enverraient |
| | **payer**<br>je paye / paie<br>tu payes / paies<br>il paye / paie<br>nous payons<br>vous payez<br>ils payent / paient | je payais<br>tu payais<br>il payait<br>nous payions<br>vous payiez<br>ils payaient | j' ai payé<br>tu as payé<br>il a payé<br>nous avons payé<br>vous avez payé<br>ils ont payé | je payerai / paierai<br>tu payeras / paieras<br>il payera / paiera<br>nous payerons / paieront<br>vous payerez / paierez<br>ils payeront / paieront | je payerais / paierais<br>tu payerais / paierais<br>il payerait / paierait<br>nous payerions / paieriont<br>vous payeriez / paieriez<br>ils payeraient / paieraient |
| | **aller**<br>je vais<br>tu vas<br>il va<br>nous allons<br>vous allez<br>ils vont | j' allais<br>tu allais<br>il allait<br>nous allions<br>vous alliez<br>ils allaient | je suis allé<br>tu es allé<br>il est allé<br>nous sommes allés<br>vous êtes allés<br>ils sont allés | j' irai<br>tu iras<br>il ira<br>nous irons<br>vous irez<br>ils iront | j' irais<br>tu irais<br>il irait<br>nous irions<br>vous iriez<br>ils iraient |
| **VERBES EN -IR** | **offrir**<br>j' offre<br>tu offres<br>il offre<br>nous offrons<br>vous offrez<br>ils offrent | j' offrais<br>tu offrais<br>il offrait<br>nous offrions<br>vous offriez<br>ils offraient | j' ai offert<br>tu as offert<br>il a offert<br>nous avons offert<br>vous avez offert<br>ils ont offert | j' offrirai<br>tu offriras<br>il offrira<br>nous offrirons<br>vous offrirez<br>ils offriront | j' offrirais<br>tu offrirais<br>il offrirait<br>nous offririons<br>vous offririez<br>ils offriraient |
| | **dormir**<br>je dors<br>tu dors<br>il dort<br>nous dormons<br>vous dormez<br>ils dorment | je dormais<br>tu dormais<br>il dormait<br>nous dormions<br>vous dormiez<br>ils dormaient | j' ai dormi<br>tu as dormi<br>il a dormi<br>nous avons dormi<br>vous avez dormi<br>ils ont dormi | je dormirai<br>tu dormiras<br>il dormira<br>nous dormirons<br>vous dormirez<br>ils dormiront | je dormirais<br>tu dormirais<br>il dormirait<br>nous dormirions<br>vous dormiriez<br>ils dormiraient |

| | PRÉSENT | IMPARFAIT | PASSÉ COMPOSÉ | FUTUR | CONDITIONNEL |
|---|---|---|---|---|---|
| **VERBES EN -IR** | **finir**<br>je finis<br>tu finis<br>il finit<br>nous finissons<br>vous finissez<br>ils finissent | je finissais<br>tu finissais<br>il finissait<br>nous finissions<br>vous finissiez<br>ils finissaient | j' ai fini<br>tu as fini<br>il a fini<br>nous avons fini<br>vous avez fini<br>ils ont fini | je finirai<br>tu finiras<br>il finira<br>nous finirons<br>vous finirez<br>ils finiront | je finirais<br>tu finirais<br>il finirait<br>nous finirions<br>vous finiriez<br>ils finiraient |
| | **venir**<br>je viens<br>tu viens<br>il vient<br>nous venons<br>vous venez<br>ils viennent | je venais<br>tu venais<br>il venait<br>nous venions<br>vous veniez<br>ils venaient | je suis venu<br>tu es venu<br>il est venu<br>nous sommes venus<br>vous êtes venus<br>ils sont venus | je viendrai<br>tu viendras<br>il viendra<br>nous viendrons<br>vous viendrez<br>ils viendront | je viendrais<br>tu viendrais<br>il viendrait<br>nous viendrions<br>vous viendriez<br>ils viendraient |
| **VERBES EN -IRE** | **dire**<br>je dis<br>tu dis<br>il dit<br>nous disons<br>vous dites<br>ils disent | je disais<br>tu disais<br>il disait<br>nous disions<br>vous disiez<br>ils disaient | j' ai dit<br>tu as dit<br>il a dit<br>nous avons dit<br>vous avez dit<br>ils ont dit | je dirai<br>tu diras<br>il dira<br>nous dirons<br>vous direz<br>ils diront | je dirais<br>tu dirais<br>il dirait<br>nous dirions<br>vous diriez<br>ils diraient |
| | **lire**<br>je lis<br>tu lis<br>il lit<br>nous lisons<br>vous lisez<br>ils lisent | je lisais<br>tu lisais<br>il lisait<br>nous lisions<br>vous lisiez<br>ils lisaient | j' ai lu<br>tu as lu<br>il a lu<br>nous avons lu<br>vous avez lu<br>ils ont lu | je lirai<br>tu liras<br>il lira<br>nous lirons<br>vous lirez<br>ils liront | je lirais<br>tu lirais<br>il lirait<br>nous lirions<br>vous liriez<br>ils liraient |
| | **écrire**<br>j' écris<br>tu écris<br>il écrit<br>nous écrivons<br>vous écrivez<br>ils écrivent | j' écrivais<br>tu écrivais<br>il écrivait<br>nous écrivions<br>vous écriviez<br>ils écrivaient | j' ai écrit<br>tu as écrit<br>il a écrit<br>nous avons écrit<br>vous avez écrit<br>ils ont écrit | j' écrirai<br>tu écriras<br>il écrira<br>nous écrirons<br>vous écrirez<br>ils écriront | j' écrirais<br>tu écrirais<br>il écrirait<br>nous écririons<br>vous écririez<br>ils écriraient |
| | **rire**<br>je ris<br>tu ris<br>il rit<br>nous rions<br>vous riez<br>ils rient | je riais<br>tu riais<br>il riait<br>nous riions<br>vous riiez<br>ils riaient | j' ai ri<br>tu as ri<br>il a ri<br>nous avons ri<br>vous avez ri<br>ils ont ri | je rirai<br>tu riras<br>il rira<br>nous rirons<br>vous rirez<br>ils riront | je rirais<br>tu rirais<br>il rirait<br>nous ririons<br>vous ririez<br>ils riraient |
| **VERBES EN -OIR** | **voir**<br>je vois<br>tu vois<br>il voit<br>nous voyons<br>vous voyez<br>ils voient | je voyais<br>tu voyais<br>il voyait<br>nous voyions<br>vous voyiez<br>ils voyaient | j' ai vu<br>tu as vu<br>il a vu<br>nous avons vu<br>vous avez vu<br>ils ont vu | je verrai<br>tu verras<br>il verra<br>nous verrons<br>vous verrez<br>ils verront | je verrais<br>tu verrais<br>il verrait<br>nous verrions<br>vous verriez<br>ils verraient |
| | **recevoir**<br>je reçois<br>tu reçois<br>il reçoit<br>nous recevons<br>vous recevez<br>ils reçoivent | je recevais<br>tu recevais<br>il recevait<br>nous recevions<br>vous receviez<br>ils recevaient | j' ai reçu<br>tu as reçu<br>il a reçu<br>nous avons reçu<br>vous avez reçu<br>ils ont reçu | je recevrai<br>tu recevras<br>il recevra<br>nous recevrons<br>vous recevrez<br>ils recevront | je recevrais<br>tu recevrais<br>il recevrait<br>nous recevrions<br>vous recevriez<br>ils recevraient |

**VERBES EN -OIR**

| | PRÉSENT | IMPARFAIT | PASSÉ COMPOSÉ | FUTUR | CONDITIONNEL |
|---|---|---|---|---|---|
| **avoir** | j' ai | j' avais | j' ai eu | j' aurai | j' aurais |
| | tu as | tu avais | tu as eu | tu auras | tu aurais |
| | il a | il avait | il a eu | il aura | il aurait |
| | nous avons | nous avions | nous avons eu | nous aurons | nous aurions |
| | vous avez | vous aviez | vous avez eu | vous aurez | vous auriez |
| | ils ont | ils avaient | ils ont eu | ils auront | ils auraient |
| **savoir** | je sais | je savais | j' ai su | je saurai | je saurais |
| | tu sais | tu savais | tu as su | tu sauras | tu saurais |
| | il sait | il savait | il a su | il saura | il saurait |
| | nous savons | nous savions | nous avons su | nous saurons | nous saurions |
| | vous savez | vous saviez | vous avez su | vous saurez | vous sauriez |
| | ils savent | ils savaient | ils ont su | ils sauront | ils sauraient |
| **devoir** | je dois | je devais | j' ai dû | je devrai | je devrais |
| | tu dois | tu devais | tu as dû | tu devras | tu devrais |
| | il doit | il devait | il a dû | il devra | il devrait |
| | nous devons | nous devions | nous avons dû | nous devrons | nous devrions |
| | vous devez | vous deviez | vous avez dû | vous devrez | vous devriez |
| | ils doivent | ils devaient | ils ont dû | ils devront | ils devraient |
| **vouloir** | je veux | je voulais | j' ai voulu | je voudrai | je voudrais |
| | tu veux | tu voulais | tu as voulu | tu voudras | tu voudrais |
| | il veut | il voulait | il a voulu | il voudra | il voudrait |
| | nous voulons | nous voulions | nous avons voulu | nous voudrons | nous voudrions |
| | vous voulez | vous vouliez | vous avez voulu | vous voudrez | vous voudriez |
| | ils veulent | ils voulaient | ils ont voulu | ils voudront | ils voudraient |
| **pouvoir** | je peux | je pouvais | j' ai pu | je pourrai | je pourrais |
| | tu peux | tu pouvais | tu as pu | tu pourras | tu pourrais |
| | il peut | il pouvait | il a pu | il pourra | il pourrait |
| | nous pouvons | nous pouvions | nous avons pu | nous pourrons | nous pourrions |
| | vous pouvez | vous pouviez | vous avez pu | vous pourrez | vous pourriez |
| | ils peuvent | ils pouvaient | ils ont pu | ils pourront | ils pourraient |

**VERBES EN -OIRE**

| | PRÉSENT | IMPARFAIT | PASSÉ COMPOSÉ | FUTUR | CONDITIONNEL |
|---|---|---|---|---|---|
| **boire** | je bois | je buvais | j' ai bu | je boirai | je boirais |
| | tu bois | tu buvais | tu as bu | tu boiras | tu boirais |
| | il boit | il buvait | il a bu | il boira | il boirait |
| | nous buvons | nous buvions | nous avons bu | nous boirons | nous boirions |
| | vous buvez | vous buviez | vous avez bu | vous boirez | vous boiriez |
| | ils boivent | ils buvaient | ils ont bu | ils boiront | ils boiraient |
| **croire** | je crois | je croyais | j' ai cru | je croirai | je croirais |
| | tu crois | tu croyais | tu as cru | tu croiras | tu croirais |
| | il croit | il croyait | il a cru | il croira | il croirait |
| | nous croyons | nous croyions | nous avons cru | nous croirons | nous croirions |
| | vous croyez | vous croyiez | vous avez cru | vous croirez | vous croiriez |
| | ils croient | ils croyaient | ils ont cru | ils croiront | ils croiraient |

**VERBES EN -AIRE**

| | PRÉSENT | IMPARFAIT | PASSÉ COMPOSÉ | FUTUR | CONDITIONNEL |
|---|---|---|---|---|---|
| **plaire** | je plais | je plaisais | j' ai plu | je plairai | je plairais |
| | tu plais | tu plaisais | tu as plu | tu plairas | tu plairais |
| | il plaît | il plaisait | il a plu | il plaira | il plairait |
| | nous plaisons | nous plaisions | nous avons plu | nous plairons | nous plairions |
| | vous plaisez | vous plaisiez | vous avez plu | vous plairez | vous plairiez |
| | ils plaisent | ils plaisaient | ils ont plu | ils plairont | ils plairaient |

# CONJUGAISONS

| | PRÉSENT | IMPARFAIT | PASSÉ COMPOSÉ | FUTUR | CONDITIONNEL |
|---|---|---|---|---|---|
| **VERBES EN -AIRE** | **faire**<br>je fais<br>tu fais<br>il fait<br>nous faisons<br>vous faites<br>ils font | je faisais<br>tu faisais<br>il faisait<br>nous faisions<br>vous faisiez<br>ils faisaient | j' ai fait<br>tu as fait<br>il a fait<br>nous avons fait<br>vous avez fait<br>ils ont fait | je ferai<br>tu feras<br>il fera<br>nous ferons<br>vous ferez<br>ils feront | je ferais<br>tu ferais<br>il ferait<br>nous ferions<br>vous feriez<br>ils feraient |
| **VERBES EN -DRE** | **prendre**<br>je prends<br>tu prends<br>il prend<br>nous prenons<br>vous prenez<br>ils prennent | je prenais<br>tu prenais<br>il prenait<br>nous prenions<br>vous preniez<br>ils prenaient | j' ai pris<br>tu as pris<br>il a pris<br>nous avons pris<br>vous avez pris<br>ils ont pris | je prendrai<br>tu prendras<br>il prendra<br>nous prendrons<br>vous prendrez<br>ils prendront | je prendrais<br>tu prendrais<br>il prendrait<br>nous prendrions<br>vous prendriez<br>ils prendraient |
| | **perdre**<br>je perds<br>tu perds<br>il perd<br>nous perdons<br>vous perdez<br>ils perdent | je perdais<br>tu perdais<br>il perdait<br>nous perdions<br>vous perdiez<br>ils perdaient | j' ai perdu<br>tu as perdu<br>il a perdu<br>nous avons perdu<br>vous avez perdu<br>ils ont perdu | je perdrai<br>tu perdras<br>il perdra<br>nous perdrons<br>vous perdrez<br>ils perdront | je perdrais<br>tu perdrais<br>il perdrait<br>nous perdrions<br>vous perdriez<br>ils perdraient |
| **VERBES EN -VRE** | **suivre**<br>je suis<br>tu suis<br>il suit<br>nous suivons<br>vous suivez<br>ils suivent | je suivais<br>tu suivais<br>il suivait<br>nous suivions<br>vous suiviez<br>ils suivaient | j' ai suivi<br>tu as suivi<br>il a suivi<br>nous avons suivi<br>vous avez suivi<br>ils ont suivi | je suivrai<br>tu suivras<br>il suivra<br>nous suivrons<br>vous suivrez<br>ils suivront | je suivrais<br>tu suivrais<br>il suivrait<br>nous suivrions<br>vous suivriez<br>ils suivraient |
| | **vivre**<br>je vis<br>tu vis<br>il vit<br>nous vivons<br>vous vivez<br>ils vivent | je vivais<br>tu vivais<br>il vivait<br>nous vivions<br>vous viviez<br>ils vivaient | j' ai vécu<br>tu as vécu<br>il a vécu<br>nous avons vécu<br>vous avez vécu<br>ils ont vécu | je vivrai<br>tu vivras<br>il vivra<br>nous vivrons<br>vous vivrez<br>ils vivront | je vivrais<br>tu vivrais<br>il vivrait<br>nous vivrions<br>vous vivriez<br>ils vivraient |
| **VERBES EN -TRE** | **mettre**<br>je mets<br>tu mets<br>il met<br>nous mettons<br>vous mettez<br>ils mettent | je mettais<br>tu mettais<br>il mettait<br>nous mettions<br>vous mettiez<br>ils mettaient | j' ai mis<br>tu as mis<br>il a mis<br>nous avons mis<br>vous avez mis<br>ils ont mis | je mettrai<br>tu mettras<br>il mettra<br>nous mettrons<br>vous mettrez<br>ils mettront | je mettrais<br>tu mettrais<br>il mettrait<br>nous mettrions<br>vous mettriez<br>ils mettraient |
| | **naître**<br>je nais<br>tu nais<br>il naît<br>nous naissons<br>vous naissez<br>ils naissent | je naissais<br>tu naissais<br>il naissait<br>nous naissions<br>vous naissiez<br>ils naissaient | je suis né<br>tu es né<br>il est né<br>nous sommes nés<br>vous êtes nés<br>ils sont nés | je naîtrai<br>tu naîtras<br>il naîtra<br>nous naîtrons<br>vous naîtrez<br>ils naîtront | je naîtrais<br>tu naîtrais<br>il naîtrait<br>nous naîtrions<br>vous naîtriez<br>ils naîtraient |
| | **être**<br>je suis<br>tu es<br>il est<br>nous sommes<br>vous êtes<br>ils sont | j' étais<br>tu étais<br>il était<br>nous étions<br>vous étiez<br>ils étaient | j' ai été<br>tu as été<br>il a été<br>nous avons été<br>vous avez été<br>ils ont été | je serai<br>tu seras<br>il sera<br>nous serons<br>vous serez<br>ils seront | je serais<br>tu serais<br>il serait<br>nous serions<br>vous seriez<br>ils seraient |

*Imprimé en France* - JOUVE, 11, bd de Sébastopol, 75001 Paris
N° 457237L - Dépôt légal : Avril 2008